KUAILE HANYU
快乐汉语

# 练习册

## （英语版）

**主编** 李晓琪

**编者** 刘晓雨　　王淑红　　宣　雅

人民教育出版社
·北京·

总　策　划　许　琳　殷忠民　韦志榕
总　监　制　夏建辉　郑旺全
监　　　制　张彤辉　顾　蕾　刘根芹
　　　　　　王世友　赵晓非

主　　　编　李晓琪
编　　　者　刘晓雨　王淑红　宣　雅

责　任　编　辑　李　津
特　约　审　稿　Sarah Miller［美］

美　术　编　辑　张　蓓
封　面　设　计　金　葆
插　图　制　作　李思东工作室

**图书在版编目（CIP）数据**

快乐汉语练习册：英语版．第1册/李晓琪主编．—2版．—北京：人民教育出版社，2014.6
（2022.10重印）
　ISBN 978-7-107-28069-6

　Ⅰ．①快…　Ⅱ．①李…　Ⅲ．①汉语—对外汉语教学—习题集　Ⅳ．①H195.4

　中国版本图书馆CIP数据核字（2014）第120721号

快乐汉语　第二版　练习册　第一册　英语版

出版发行　人民教育出版社
　　　　　（北京市海淀区中关村南大街17号院1号楼　邮编：100081）
网　　址　http://www.pep.com.cn
经　　销　全国新华书店
印　　刷　大厂益利印刷有限公司
版　　次　2014年6月第1版
印　　次　2022年10月第8次印刷
开　　本　890毫米×1 240毫米　1/16
印　　张　11
字　　数　220千字
定　　价　64.00元

Printed in the People's Republic of China

# 目 录 CONTENTS

**第一单元　我和你　Unit One  You and I**

第一课　你好　　　　　　　　　1

第二课　你叫什么　　　　　　　6

第三课　你家在哪儿　　　　　　12

**第二单元　我的家　Unit Two  My Family**

第四课　爸爸、妈妈　　　18

第五课　我有一只小猫　　25

第六课　我家不大　　　　32

**第三单元　饮食　Unit Three  Food**

第七课　喝牛奶，不喝咖啡　39

第八课　我要苹果，你呢　　46

第九课　我喜欢海鲜　　　　52

## 第四单元　学校生活 *Unit Four　School Life*

第十课　中文课　　　　　　59

第十一课　我们班　　　　　66

第十二课　我去图书馆　　　73

## 第五单元　时间和天气 *Unit Five　Time and Weather*

第十三课　现在几点　　　　80

第十四课　我的生日　　　　86

第十五课　今天不冷　　　　92

## 第六单元　工作 *Unit Six　Jobs*

第十六课　他是医生　　　　97

第十七课　他在医院工作　　102

第十八课　我想做演员　　　107

## 第七单元  爱好  Unit Seven  Hobbies

第十九课  你的爱好是什么    115

第二十课  你会打网球吗    123

第二十一课  我天天看电视    131

## 第八单元  交通和旅游  Unit Eight  Transport and Travel

第二十二课  这是火车站    138

第二十三课  我坐飞机去    146

第二十四课  汽车站在前边    154

## 附录

1. 录音文本    161

2. 部分参考答案    164

## ❀ 第一课　你好 ❀

**1.** **Choose the correct *pinyin*.**

| | | | |
|---|---|---|---|
| ní ☐ | hǎo ☐ | wó ☐ | hén ☐ |
| 你 nì ☐ | 好 hāo ☐ | 我 wǒ ☐ | 很 hèn ☐ |
| nǐ ☐ | háo ☐ | wò ☐ | hěn ☐ |

**2.** **Draw lines to connect the English and Chinese words.**

| | |
|---|---|
| you | hěn 很 |
| (a question particle) | hǎo 好 |
| very | nǐ 你 |
| good | wǒ 我 |
| I | ma 吗 |

**3.** **Choose the words that you hear.**

1) ○A. wǒ 我　　　○B. nǐ 你　　　○C. hěn 很

2) ○A. hěn hǎo 很好　　　○B. nǐ hǎo 你好　　　○C. hǎo ma 好吗

3) ○A. Wǒ hěn hǎo. 我很好。　　○B. Nǐ hěn hǎo. 你很好。　　○C. Nǐ hǎo ma? 你好吗?

4. Draw lines to connect the Chinese characters and *pinyin*.

很　　　　　wǒ

好　　　　　ma

你　　　　　hěn

我　　　　　hǎo

吗　　　　　nǐ

5. Write the characters.

| 笔画数 | | | | | |
|---|---|---|---|---|---|
| 6 | hǎo 好 | | | | |
| 7 | nǐ 你 | | | | |
| 9 | hěn 很 | | | | |

6. Match the English words and *pinyin* by using a different color for each pair.

❀ Hello!　　　　　　　❀ Nǐ hǎo ma?

❀ How are you?　　　 ❀ Nǐ hǎo!

❀ I'm fine.　　　　　　❀ Wǒ hěn hǎo.

7. Write the number of each Chinese sentence under the correct English sentence.

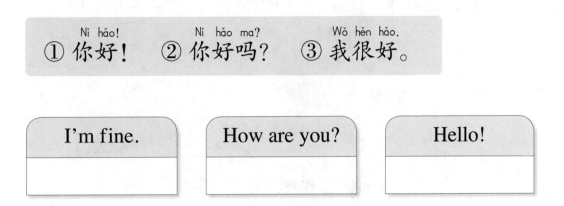

Nǐ hǎo!
① 你好！    Nǐ hǎo ma?
② 你好吗？    Wǒ hěn hǎo.
③ 我很好。

| I'm fine. | How are you? | Hello! |
|---|---|---|
|  |  |  |

8. Fill in the blanks with the given characters.

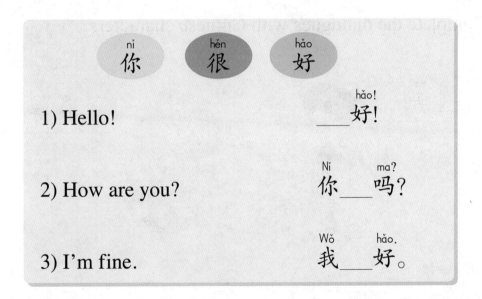

nǐ        hěn        hǎo
你         很          好

1) Hello!                        hǎo!
                           ＿＿好！

2) How are you?          Nǐ        ma?
                           你＿＿吗？

3) I'm fine.                Wǒ        hǎo.
                           我＿＿好。

9. Complete the dialogues.

1) Complete the dialogues with *pinyin*.

Nǐ hǎo!

＿＿＿＿＿!

2) Complete the dialogues with Chinese characters.

10. Exchange greetings with your teachers and classmates in Chinese.

## 11. Write more characters.

| 笔画数 | | | | | | |
|---|---|---|---|---|---|---|
| 6 | ma<br>吗 | | | | | |
| | | | | | | |
| | | | | | | |
| | | | | | | |
| | | | | | | |

# ৪০ 第二课  你叫什么 ੧੩

## 1. Choose the correct *pinyin*.

|  |  |  |  |  |  |  |  |  |
|---|---|---|---|---|---|---|---|---|
| 叫 | jiáo ☐ | 国 | guó ☐ | 是 | shī ☐ | 哪 | nā ☐ | 人 | rén ☐ |
|  | jià o ☐ |  | guǒ ☐ |  | shí ☐ |  | ná ☐ |  | rěn ☐ |
|  | jiāo ☐ |  | guò ☐ |  | shì ☐ |  | nǎ ☐ |  | rèn ☐ |

什么   shénme ☐
       shénmè ☐

美国   Měiguó ☐
       Měiguó ☐

英国   Yíngguò ☐
       Yíngguó ☐

中国   Zhòngguò ☐
       Zhōngguó ☐

## 2. Draw lines to connect the pictures, Chinese words and English words.

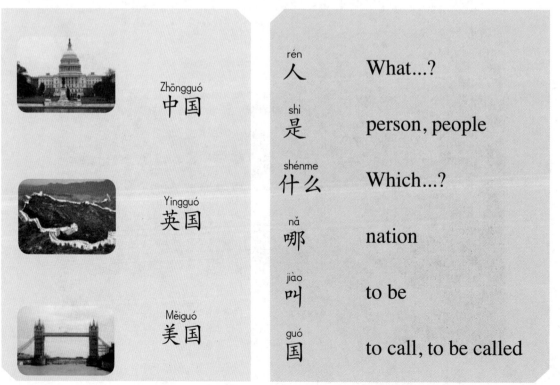

| | |
|---|---|
| Zhōngguó 中国 | |
| Yíngguó 英国 | |
| Měiguó 美国 | |

| rén 人 | What...? |
| shì 是 | person, people |
| shénme 什么 | Which...? |
| nǎ 哪 | nation |
| jiào 叫 | to be |
| guó 国 | to call, to be called |

**3.** Draw lines to connect the Chinese characters and *pinyin*.

| | |
|---|---|
| 什么 | guó |
| 哪 | shì |
| 国 | Měiguó |
| 中国 | Zhōngguó |
| 美国 | Yīngguó |
| 英国 | rén |
| 是 | nǎ |
| 叫 | shénme |
| 人 | jiào |

**4.** Choose the words that you hear.

1) ○A. Zhōngguó 中国    ○B. Yīngguó 英国    ○C. Měiguó 美国

2) ○A. nǐ hǎo ma 你好吗    ○B. jiào shénme 叫什么    ○C. nǎ guó rén 哪国人

3) ○A. Nǐ shì nǎ guó rén? 你是哪国人？    ○B. Wǒ jiào Lǐ Xiǎolóng. 我叫李小龙。

○C. Wǒ shì Zhōngguórén. 我是中国人。

**5.** Write the characters.

| 笔画数 | | | | | | | |
|---|---|---|---|---|---|---|---|
| | rén | | | | | | |
| 2 | 人 | | | | | | |

| | | | | | | | | |
|---|---|---|---|---|---|---|---|---|
| 4 | zhōng 中 | | | | | | | |
| 8 | guó 国 | | | | | | | |

6. Match the English words and *pinyin* by using a different color for each pair.

✿ Chinese          ✿ wǒ shì···

✿ American       ✿ Zhōngguórén

✿ I'm...           ✿ wǒ jiào···

✿ I'm called... (My name is...)      ✿ Měiguórén

7. Wirte the number of each Chinese sentence under the correct English sentence.

Nǐ jiào shénme?
① 你叫什么？

Nǐ shì nǎ guó rén?
② 你是哪国人？

Wǒ shì Yīngguórén.
③ 我是英国人。

Wǒ jiào Xiǎolóng.
④ 我叫小龙。

| I'm English. | | What's your nationality? |
|---|---|---|

| What's your name? | | My name is Xiaolong. |
|---|---|---|

8. **Fill in the blanks with the given characters.**

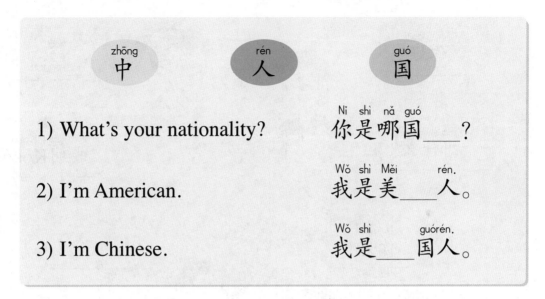

zhōng 中    rén 人    guó 国

1) What's your nationality?　　Nǐ shì nǎ guó
　　　　　　　　　　　　　　你是哪国___？

2) I'm American.　　　　　　Wǒ shì Měi　　rén.
　　　　　　　　　　　　　　我是美___人。

3) I'm Chinese.　　　　　　　Wǒ shì　　　　guórén.
　　　　　　　　　　　　　　我是___国人。

9. **Complete the dialogues.**

1) Complete the dialogues with *pinyin*.

Nǐ jiào shénme?

Wǒ jiào_____.

Nǐ shì nǎ guó rén?

Wǒ shì_____.

2) Complete the dialogues with Chinese characters.

10. Choose the pictures that match the sentences.

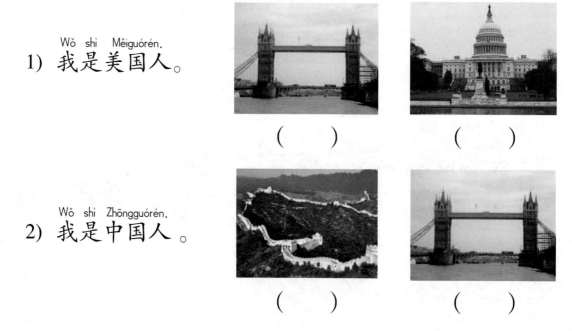

Wǒ shì Měiguórén.
1) 我是美国人。

( )    ( )

Wǒ shì Zhōngguórén.
2) 我是中国人。

( )    ( )

3) 我叫李小龙。
Wǒ jiào Lǐ Xiǎolóng.

(　　) 　　(　　)

11. Translate the following sentences into Chinese and give answers.

1) How are you?

2) Hello! What's your name?

3) What's your nationality? / Where do you come from?

12. Write more characters.

| 笔画数 | | | | | | | | |
|---|---|---|---|---|---|---|---|---|
| 5 | jiào<br>叫 | | | | | | | |
| 8 | yīng<br>英 | | | | | | | |
| | | | | | | | | |
| | | | | | | | | |
| | | | | | | | | |
| | | | | | | | | |

# 第三课　你家在哪儿

1. Choose the correct *pinyin*.

家
jiá □
jià □
jiā □

在
zāi □
zǎi □
zài □

他
tā □
tá □
tà □

哪儿
nār □
nár □
nǎr □

北京
Běijīng □
Běijǐng □

上海
Shānghāi □
Shànghǎi □

香港
Xiānggǎng □
Xiānggàng □

2. Draw lines to connect the pictures, Chinese words and English words.

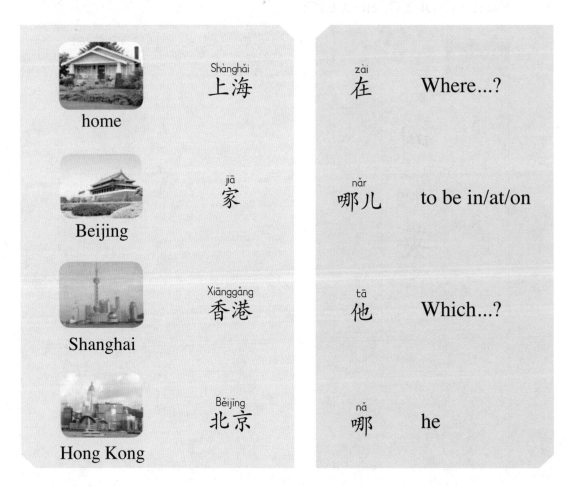

home

Shànghǎi
上海

zài
在 — Where...?

Beijing

jiā
家

nǎr
哪儿 — to be in/at/on

Shanghai

Xiānggǎng
香港

tā
他 — Which...?

Hong Kong

Běijīng
北京

nǎ
哪 — he

3. Draw lines to connect the Chinese characters and *pinyin*.

| | |
|---|---|
| 家 | zài |
| 在 | Běijīng |
| 他 | jiā |
| 北京 | Xiānggǎng |
| 上海 | nǎr |
| 香港 | tā |
| 哪儿 | Shànghǎi |

4. Choose the words that you hear.

1) ○A. 我家 (wǒ jiā)　　○B. 他家 (tā jiā)　　○C. 你家 (nǐ jiā)

2) ○A. 在哪儿 (zài nǎr)　　○B. 哪国人 (nǎ guó rén)　　○C. 叫什么 (jiào shénme)

3) ○A. 他家在上海。(Tā jiā zài Shànghǎi.)　　○B. 我家在北京。(Wǒ jiā zài Běijīng.)

○C. 他是美国人。(Tā shi Měiguórén.)

5. Write the characters.

| 笔画数 | | | | | | |
|---|---|---|---|---|---|---|
| 5 | běi 北 | | | | | |
| 6 | zài 在 | | | | | |

| | | | | | | | | |
|---|---|---|---|---|---|---|---|---|
| 7 | wǒ<br>我 | | | | | | | |
| 8 | jīng<br>京 | | | | | | | |

6. Match the English words and *pinyin* by using a different color for each pair.

❀ my home             ❀ tā jiā

❀ in Shanghai        ❀ zài Běijīng

❀ his home           ❀ wǒ jiā

❀ in Beijing          ❀ zài Shànghǎi

7. Write the number of each Chinese sentence under the correct English sentence.

Nǐ jiā zài nǎr?
① 你家在哪儿？

Tā jiā zài nǎr?
② 他家在哪儿？

Wǒ jiā zài Běijīng.
③ 我家在北京。

Tā jiā zài Shànghǎi.
④ 他家在上海。

| My home is in Beijing. | Where is your home? |
|---|---|
| | |

| His home is in Shanghai. | Where is his home? |
|---|---|
| | |

8.　Fill in the blanks with the given characters.

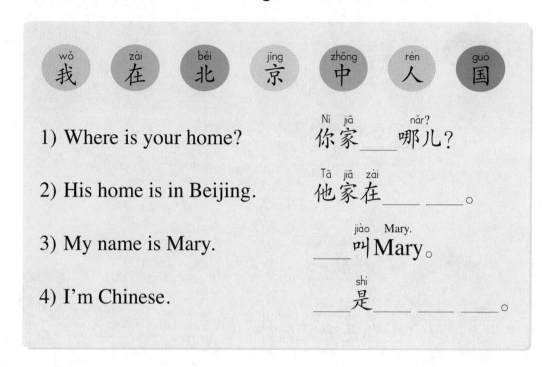

| wǒ 我 | zài 在 | běi 北 | jīng 京 | zhōng 中 | rén 人 | guó 国 |

1) Where is your home?　你家____哪儿？
Nǐ jiā　　nǎr?

2) His home is in Beijing.　他家在____ ____。
Tā jiā zài

3) My name is Mary.　____叫Mary。
jiào Mary.

4) I'm Chinese.　____是____ ____ ____。
shì

9.　Complete the dialogues.

1) Complete the dialogues with *pinyin*.

Nǐ jiā zài nǎr?

Wǒ jiā____ Shànghǎi.

Tā jiā zài nǎr?

Tā jiā_____.

2) Complete the dialogues with Chinese characters.

10. Choose the pictures that match the sentences.

Tā jiā zài Běijīng.
1) 他家在北京。

(    )        (    )

Wǒ jiā zài Xiānggǎng.
2) 我家在香港。

(    )        (    )

3)
Tā shì Yīngguórén.
他是英国人 。

(     )  (     )

11. Ask one of your teachers about his/her name, nationality and home city. Then use Chinese to tell the information to your language partner.

12. Write more characters.

| 笔画数 | | | | | | |
|---|---|---|---|---|---|---|
| 5 | tā<br>他 | | | | | |
| 10 | jiā<br>家 | | | | | |
| | | | | | | |
| | | | | | | |
| | | | | | | |

## ⍥ 第四课　爸爸、妈妈 ⍥

1.  **Choose the correct *pinyin*.**

这
- zhè ☐
- zhé ☐
- zhē ☐

那
- nā ☐
- nǎ ☐
- nà ☐

不
- bǔ ☐
- bù ☐
- bū ☐

哥哥
- gēge ☐
- gége ☐
- gěge ☐

姐姐
- jiē jie ☐
- jié jie ☐
- jiě jie ☐

爸爸
- bàba ☐
- pāpa ☐

妈妈
- māma ☐
- nāna ☐

2.  **Draw lines to connect the Chinese words with the family members in the picture.**

bàba　　　māma　　　gēge　　　jiě jie　　　wǒ
爸爸　　　妈妈　　　哥哥　　　姐姐　　　我

3. Draw lines to connect the Chinese characters and *pinyin*.

| | |
|---|---|
| 这 | māma |
| 那 | gēge |
| 不 | nà |
| 爸爸 | zhè |
| 妈妈 | jiějie |
| 哥哥 | bù |
| 姐姐 | bàba |

4. Choose the words that you hear.

1) ○A. 爸爸 (bàba)  ○B. 妈妈 (māma)  ○C. 哥哥 (gēge)

2) ○A. 这是 (zhè shì)  ○B. 不是 (bú shì)  ○C. 那是 (nà shì)

3) ○A. 那是我姐姐。(Nà shì wǒ jiějie.)  ○B. 这是我爸爸。(Zhè shì wǒ bàba.)  ○C. 他不是哥哥。(Tā bú shì gēge.)

5. Write the characters.

| 笔画数 | | | | | | | |
|---|---|---|---|---|---|---|---|
| 6 | mā<br>妈 | | | | | | |
| 6 | nà<br>那 | | | | | | |

| | | | | | | | | |
|---|---|---|---|---|---|---|---|---|
| 7 | zhè<br>这 | | | | | | | |
| 8 | bà<br>爸 | | | | | | | |

6. **Match the English words and *pinyin* by using a different color for each pair.**

❀ his father

❀ my mother

❀ this is ...

❀ that is not ...

❀ wǒ māma

❀ nà bú shì…

❀ tā bàba

❀ zhè shì…

7. **Write the number of each Chinese sentence under the correct English sentence.**

① Zhè shì wǒ māma.<br>这是我妈妈。

② Nà bú shì tā gēge.<br>那不是他哥哥。

③ Zhè shì nǐ jiějie ma?<br>这是你姐姐吗？

④ Nà shì nǐ bàba ma?<br>那是你爸爸吗？

Is that your father?

That is not his elder brother.

This is my mother.

Is this your elder sister?

8. Fill in the blanks with the given characters.

| mā 妈 | bà 爸 | nà 那 | zhè 这 | zhōng 中 |
| rén 人 | guó 国 | běi 北 | jīng 京 | zài 在 |

1) Is this your elder brother?

____ shì nǐ gēge ma?
____ 是你哥哥吗？

2) That is not my elder sister.

____ bú shì wǒ jiějie.
____ 不是我姐姐。

3) My mother is English.

Wǒ ____ shì Yīngguórén.
我_____是英国人。

4) His father is not American.

Tā ____ bú shì Měiguórén.
他_____不是美国人。

5) This is my father. He is Chinese. He is in Beijing.

____ shì wǒ ____. Tā shì ____. Tā ____.
____ 是我_____。他是_____。他_____。

9. Complete the dialogues.

1) Complete the dialogues with *pinyin*.

①

Zhè shì nǐ gēge ma?

Zhè shì _____,
nà shì wǒ jiějie.

②

Nà shì nǐ jiějie ma?

Nà _____ wǒ jiějie,
_____ wǒ māma.

2) Complete the dialogues with Chinese characters.

①

John

Tā shì Zhōngguórén ma?
A: 他是中国人吗?
Tā bú shì
B: 他不是_____，
tā shì Yīngguórén.
他是英国人。
Tā jiào shénme?
A: 他叫什么?
Tā jiào John.
B: 他叫John。

②

Mark

Tim

Nǐ hǎo!
A: 你好!

B: _____!

jiào shénme?
A: _____ 叫什么?

Wǒ jiào Mark.
B: 我叫Mark。

Nà shì nǐ gēge ma?
A: 那是你哥哥吗?

shì       gēge,       tā jiào Tim.
B: ___是___哥哥，他叫Tim。

10. Choose the pictures that match the sentences.

Zhè shì wǒ māma,　　wǒ māma zài Shànghǎi.
1) 这是我妈妈，我妈妈在上海。

(　　)　　　　　　(　　)

Nà bú shì wǒ jiějie,　　nà shì wǒ gēge.
2) 那不是我姐姐，那是我哥哥。

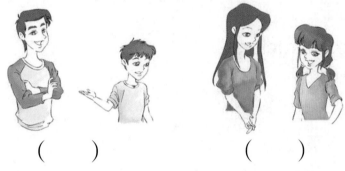

(　　)　　　　　　(　　)

Zhè shì wǒ jiějie.
3) 这是我姐姐。

(　　)　　　　　　(　　)

11. Read the words. Then draw pictures of those family members.

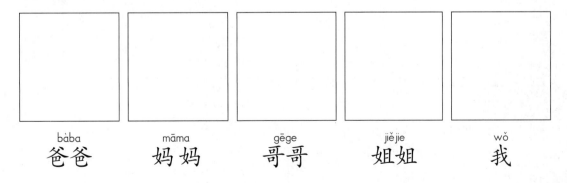

bàba　　　māma　　　gēge　　　jiějie　　　wǒ
爸爸　　　妈妈　　　哥哥　　　姐姐　　　我

12. Read the following information. Then use Chinese to tell your language partner about Li Dafu.

Name: Lǐ Dàfú

Nationality: Chinese

Hometown: Shanghai

Family members: Lǐ Guólóng (father)

Mǎ Yīng (mother)

Lǐ Jīngjīng (elder sister)

13. Write more characters.

| 笔画数 | | | | | | |
|---|---|---|---|---|---|---|
| | | | | | | |
| | | | | | | |
| | | | | | | |
| | | | | | | |
| | | | | | | |

# ❀ 第五课　我有一只小猫 ❀

1. **Choose the correct *pinyin*.**

有
yōu ☐
yóu ☐
yǒu ☐

猫
māo ☐
mǎo ☐
mào ☐

狗
gòu ☐
gǒu ☐
gōu ☐

只
zhī ☐
zhí ☐
zhǐ ☐

小
xiào ☐
xiǎo ☐
xiāo ☐

两
liáng ☐
liǎng ☐
liàng ☐

一
yī ☐
yì ☐
yǐ ☐

二
ēr ☐
ěr ☐
èr ☐

三
sān ☐
sǎn ☐
sàn ☐

四
sī ☐
sǐ ☐
sì ☐

五
wū ☐
wǔ ☐
wù ☐

六
līu ☐
líu ☐
liù ☐

2. **Draw lines to connect the pictures and Chinese words.**

māo
猫

gǒu
狗

sān
三

liù
六

sì
四

yī
一

èr
二

wǔ
五

3. Draw lines to connect the Chinese characters and *pinyin*.

| | | | |
|---|---|---|---|
| 有 | māo | 一 | sì |
| 只 | liǎng | 二 | liù |
| 猫 | yǒu | 三 | yī |
| 狗 | zhī | 四 | èr |
| 两 | gǒu | 五 | sān |
| 小 | xiǎo | 六 | wǔ |

4. Choose the words that you hear.

1) ○ A. 一 (yī)　　　　○ B. 三 (sān)　　　　○ C. 五 (wǔ)

2) ○ A. 二 (èr)　　　　○ B. 四 (sì)　　　　○ C. 六 (liù)

3) ○ A. 两只小猫 (liǎng zhī xiǎo māo)　　○ B. 六只小狗 (liù zhī xiǎo gǒu)　　○ C. 有五只猫 (yǒu wǔ zhī māo)

4) ○ A. 他有一只小猫。(Tā yǒu yì zhī xiǎo māo.)　○ B. 我有三只小狗。(Wǒ yǒu sān zhī xiǎo gǒu.)

○ C. 姐姐有两只猫。(Jiějie yǒu liǎng zhī māo.)

5. Write the characters.

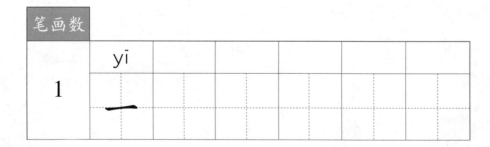

| 笔画数 | | | | | | |
|---|---|---|---|---|---|---|
| 1 | yī 一 | | | | | |

| | | | | | | | | |
|---|---|---|---|---|---|---|---|---|
| 3 | xiǎo 小 | | | | | | | |
| 4 | liù 六 | | | | | | | |
| 5 | zhī 只 | | | | | | | |

6. Match the English words and *pinyin* by using a different color for each pair.

❀ one cat            ❀ wǒ yǒu …

❀ two dogs          ❀ liǎng zhī gǒu

❀ I have ...            ❀ tā yǒu …

❀ he has ...           ❀ yì zhī māo

7. Write the number of each Chinese sentence under the correct English sentence.

Tā yǒu māo ma?
① 他有猫吗？

Wǒ yǒu yì zhī xiǎo gǒu.
② 我有一只小狗。

Nǐ jiějie yǒu māo ma?
③ 你姐姐有猫吗？

Xiǎolóng yǒu liǎng zhī gǒu.
④ 小龙有两只狗。

Xiaolong has two dogs.

Does he have a cat?

I have a puppy.

Does your sister have a cat?

8. Fill in the blanks with the given characters.

yī
一

zhī
只

xiǎo
小

liù
六

1) My elder sister has two cats.

Wǒ  jiějie  yǒu liǎng      māo.
我 姐姐 有 两____猫。

2) His elder brother has three puppies.

Tā  gēge  yǒu sān zhī      gǒu.
他 哥哥 有 三 只____狗。

3) He has one cat, six dogs.

Tā  yǒu      zhī māo,      zhī gǒu.
他 有____只猫，____只狗。

4) Jim has six cats. His mother has one puppy.

Jim yǒu                māo,  tā  māma yǒu                        gǒu.
Jim有____ ____猫，他 妈妈 有____ ____ ____狗。

9. Complete the dialogues.

1) Complete the dialogues with *pinyin*.

①

A：Xiǎoměi yǒu māo ma?

B：Xiǎoměi yǒu_____.

②

A： Nǐ jiějie yǒu gǒu ma?

B： Wǒ jiějie_____.

2) Complete the dialogues with Chinese characters.

①

A：你有 狗 吗？
　　Nǐ yǒu gǒu ma?

B：我有_____狗。
　　Wǒ yǒu　　　gǒu.

②

A：你哥哥 有 狗 吗？
　　Nǐ gēge yǒu gǒu ma?

B：他有_____狗。
　　Tā yǒu　　　gǒu.

A：他有 猫 吗？
　　Tā yǒu māo ma?

B：他有_____猫。
　　Tā yǒu　　　māo.

10. Choose the pictures that match the sentences.

1) 妈妈有三只小狗。
　　Māma yǒu sān zhī xiǎo gǒu.

　　（　　）　　　（　　）

2) <ruby>我<rt>Wǒ</rt></ruby><ruby>哥哥<rt>gēge</rt></ruby><ruby>有<rt>yǒu</rt></ruby><ruby>两<rt>liǎng</rt></ruby><ruby>只<rt>zhī</rt></ruby><ruby>小狗<rt>xiǎo gǒu</rt></ruby>。

(　　)　　　　(　　)

3) <ruby>他<rt>Tā</rt></ruby><ruby>姐姐<rt>jiějie</rt></ruby><ruby>有<rt>yǒu</rt></ruby><ruby>四<rt>sì</rt></ruby><ruby>只<rt>zhī</rt></ruby><ruby>猫<rt>māo</rt></ruby>。

(　　)　　　　(　　)

11. **Read and then draw pictures for the Chinese phrases or sentences.**

<ruby>五<rt>wǔ</rt></ruby><ruby>只<rt>zhī</rt></ruby><ruby>小狗<rt>xiǎo gǒu</rt></ruby>

<ruby>四<rt>sì</rt></ruby><ruby>只<rt>zhī</rt></ruby><ruby>猫<rt>māo</rt></ruby>、<ruby>两<rt>liǎng</rt></ruby><ruby>只<rt>zhī</rt></ruby><ruby>狗<rt>gǒu</rt></ruby>

<ruby>妈妈<rt>Māma</rt></ruby><ruby>有<rt>yǒu</rt></ruby><ruby>一<rt>yì</rt></ruby><ruby>只<rt>zhī</rt></ruby><ruby>猫<rt>māo</rt></ruby>、<ruby>一<rt>yì</rt></ruby><ruby>只<rt>zhī</rt></ruby><ruby>狗<rt>gǒu</rt></ruby>。

<ruby>爸爸<rt>Bàba</rt></ruby><ruby>有<rt>yǒu</rt></ruby><ruby>三<rt>sān</rt></ruby><ruby>只<rt>zhī</rt></ruby><ruby>狗<rt>gǒu</rt></ruby>。

12. Use Chinese to describe Tom's family.

Tom

13. Write more characters.

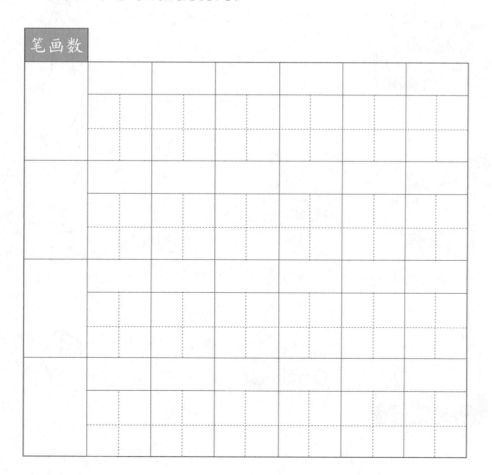

笔画数

# 第六课 我家不大

**1. Choose the correct *pinyin*.**

大  dà ☐  个  kè ☐  七  qī ☐  八  pā ☐  九  jiǔ ☐  十  shi ☐
   tà ☐     gè ☐     xī ☐     bā ☐     xiǔ ☐     shí ☐

房子  pángzi ☐     房间  fángjiān ☐     厨房  chúfáng ☐
      fángzi ☐           fánjiān ☐           chūfáng ☐

**2. Draw lines to connect the pictures and Chinese words.**

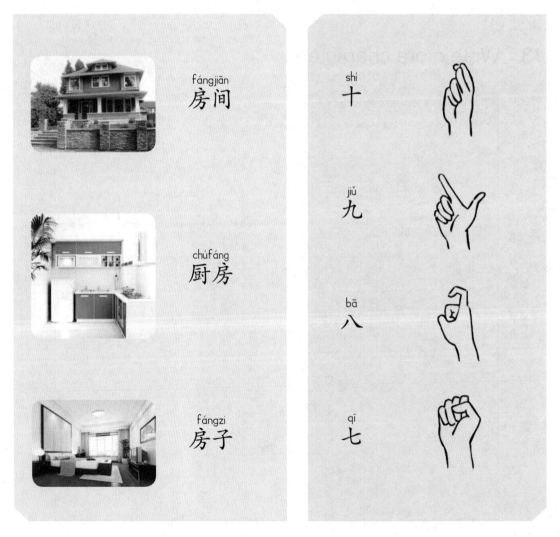

fángjiān
房间

chúfáng
厨房

fángzi
房子

shí
十

jiǔ
九

bā
八

qī
七

3. **Draw lines to connect the Chinese characters and *pinyin*.**

| | |
|---|---|
| 房子 | chúfáng |
| 房间 | dà |
| 大 | bā |
| 个 | fángzi |
| 七 | shí |
| 八 | gè |
| 九 | fángjiān |
| 十 | qī |
| 厨房 | jiǔ |

4. **Choose the words that you hear.**

1) ○ A. 房子 (fángzi)    ○ B. 房间 (fángjiān)    ○ C. 厨房 (chúfáng)

2) ○ A. 大房子 (dà fángzi)    ○ B. 小厨房 (xiǎo chúfáng)    ○ C. 小房间 (xiǎo fángjiān)

3) ○ A. 七个房间 (qī gè fángjiān)    ○ B. 十只小猫 (shí zhī xiǎo māo)    ○ C. 四个厨房 (sì gè chúfáng)

4) ○ A. 他家房子不大。(Tā jiā fángzi bú dà.) ○ B. 我家厨房很大。(Wǒ jiā chúfáng hěn dà.)

○ C. 他有八只大狗。(Tā yǒu bā zhī dà gǒu.)

## 5. Write the characters.

| 笔画数 | | | | | |
|---|---|---|---|---|---|
| 3 | zǐ<br>子 | | | | |
| 3 | dà<br>大 | | | | |
| 3 | gè<br>个 | | | | |
| 6 | yǒu<br>有 | | | | |

## 6. Match the English words and *pinyin* by using a different color for each pair.

✿ big house        ✿ xiǎo fángjiān

✿ small room      ✿ hěn dà

✿ eight rooms      ✿ dà fángzi

✿ very big          ✿ bā gè fángjiān

## 7. Write the number of each Chinese sentence under the correct English sentence.

Nǐ jiā dà ma?
① 你家大吗？

Chúfáng bú dà.
② 厨房不大。

Tā jiā yǒu jiǔ gè fángjiān.
③ 他家有九个房间。

Wǒ jiā hěn dà.
④ 我家很大。

| There are nine rooms in his house. | Is your house big? |
|---|---|
|  |  |

| My house is very big. | The kitchen is not very big. |
|---|---|
|  |  |

8. Fill in the blanks with the given characters.

 dà 大   yǒu 有   gè 个   zi 子   zhè 这   liù 六

1) This is a small house.

Zhè shì yí gè xiǎo fáng
这是一个小房___。

2) That is a big room.

Nà shì yí      dà fángjiān.
那是一___大房间。

3) His home is not very big.

Tā jiā bù hěn
他家不很___。

4) There are three rooms in my house.

Wǒ jiā      sān gè fángjiān.
我家___三个房间。

5) There are six rooms in this house.

fáng          fángjiān.
___ ___房___ ___ ___ ___房间。

## 9. Complete the dialogues.

1) Complete the dialogues with *pinyin*.

①

A: Nǐ jiā dà ma?

B: Wǒ jiā _____.

A: Tā jiā dà ma?

B: Tā jiā _____.

my house                                             his house

②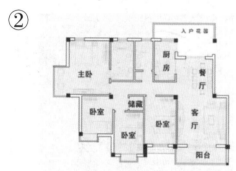

A: Nǐ jiā yǒu jǐ gè fángjiān?

B: Wǒ jiā yǒu_____.

2) Complete the dialogues with Chinese characters.

①

A: Zhè shì nǐ jiā chúfáng ma?
这是你家厨房吗?

B: Zhè shì wǒ jiā chúfáng. Wǒ jiā chúfáng
这是我家厨房。我家厨房_____。

②

A: Nǐ jiā zài nǎr?
你家在哪儿?

B: Wǒ jiā
我家_____。

A: Nǐ jiā dà ma?
你家大吗?

B: Wǒ jiā hěn dà. Wǒ jiā yǒu fángjiān.
我家很大。我家有_____房间。

10. Look at the pictures and decide whether the sentences are true or false.

1)
Jiějie jiā yǒu shí gè fángjiān.
姐姐家有十个房间。（　　）

2)
Tā jiā bú dà.
他家不大。　　（　　）

3)
Zhè shì wǒ jiā chúfáng.
这是我家厨房。（　　）

11. Draw a picture of your house. Then write two sentences about it in *pinyin*.

12. Read this short passage written by a Chinese boy. Then answer the following questions.

我叫李大龙，我是中国人，我家在北京。我有爸爸、妈妈、姐姐。姐姐有一只小猫，我有一只小狗。我家有一个大房子，有六个房间，房间不大。我家厨房很大。

1) What is his name?
2) What is his nationality?
3) Where is his home?
4) Who is in his family?
5) Does anyone in his family have a pet?
6) Do they have a big house?
7) How many rooms are there?
8) Do they have a small kitchen?

13. Write more characters.

| 笔画数 | | | | | | |
|---|---|---|---|---|---|---|
| | | | | | | |
| | | | | | | |
| | | | | | | |
| | | | | | | |

## 第七课 喝牛奶，不喝咖啡

1. **Choose the correct** *pinyin*.

吃 chī ☐ chí ☐ chǐ ☐

奶 nāi ☐ nǎi ☐ nái ☐

喝 hě ☐ hé ☐ hē ☐

面包 miànbao ☐ miànbāo ☐ miánbāo ☐

早上 zhǎoshang ☐ zǎosang ☐ zǎoshang ☐

2. **Draw lines to connect.**

1) Draw lines to connect the Chinese characters and *pinyin*.

早上      jīdàn

喝      zǎoshang

咖啡      miànbāo

牛奶      hē

吃      kāfēi

鸡蛋      niúnǎi

面包      chī

2) Draw lines to connect the pictures and Chinese words.

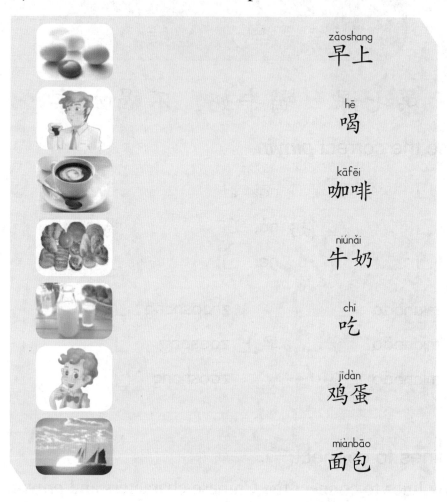

zǎoshang
早上

hē
喝

kāfēi
咖啡

niúnǎi
牛奶

chī
吃

jīdàn
鸡蛋

miànbāo
面包

3. Listen and choose the correct pictures.

| | | | | |
|---|---|---|---|---|
| bàba<br>爸爸 | | | | |
| māma<br>妈妈 | | | | |
| jiějie<br>姐姐 | | | | |
| gēge<br>哥哥 | | | | |
| dìdi<br>弟弟 | | | | |

## 4. Write the characters.

| 笔画数 | | | | | | |
|---|---|---|---|---|---|---|
| 3 | shàng 上 | | | | | |
| 4 | niú 牛 | | | | | |
| 6 | zǎo 早 | | | | | |
| 6 | chī 吃 | | | | | |

## 5. Match the English sentences and *pinyin* by using a different color for each pair.

❀ I eat eggs.                        ❀ Nǐ chī shénme?

❀ Good morning!                  ❀ Wǒ chī jīdàn.

❀ What do you drink?          ❀ Nǐ hē shénme?

❀ What do you eat?             ❀ Wǒ hē niúnǎi.

❀ I drink milk.                      ❀ Zǎoshang hǎo!

## 6. Write the number of each Chinese sentence under the correct English sentence.

Zǎoshang hǎo!
① 早上好!

Nǐ hē shénme?
② 你喝什么?

Wǒ hē kāfēi.
③ 我喝咖啡。

Nǐ chī shénme?
④ 你吃什么?

Wǒ chī miànbāo.
⑤ 我吃面包。

Wǒ bù chī jīdàn.
⑥ 我不吃鸡蛋。

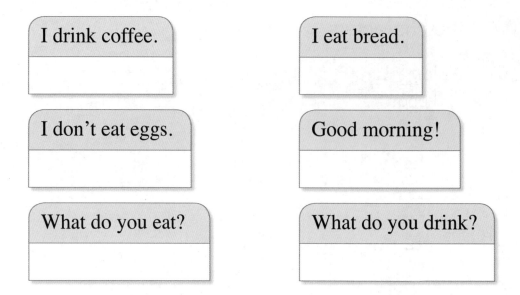

| I drink coffee. | I eat bread. |
| I don't eat eggs. | Good morning! |
| What do you eat? | What do you drink? |

7.  Fill in the blanks with the given characters.

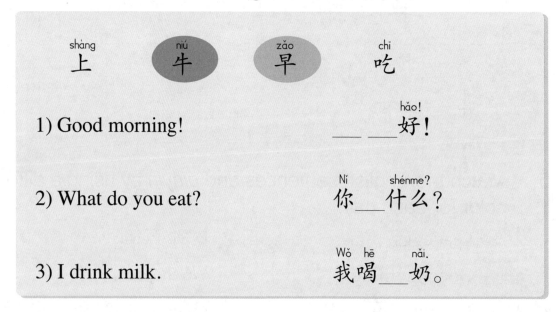

shàng 上    niú 牛    zǎo 早    chī 吃

1) Good morning!    ___ ___好！ hǎo!

2) What do you eat?    Nǐ 你___什么？ shénme?

3) I drink milk.    Wǒ hē ___ nǎi. 我喝___奶。

8.  Complete the dialogues.

1) Complete the dialogues with *pinyin*.

Zǎoshang hǎo!

_____！

Nǐ chī shénme?

Wǒ ____ miànbāo.

Nǐ hē niúnǎi ma?

Wǒ hē _____.

_____ ma?

Wǒ bù chī miànbāo.

2) Complete the dialogues with Chinese characters.

Zǎoshang hǎo!
早上 好!

_____!

9. Choose the pictures that match the sentences.

   Wǒ chī miànbāo, wǒ bù chī jīdàn.
1) 我吃面包，我不吃鸡蛋。

   (　　)　　　(　　)

   Bàba hē kāfēi, bù hē niúnǎi.
2) 爸爸喝咖啡，不喝牛奶。

   (　　)　　　(　　)

10. Use Chinese to tell your language partner what kind of food and drink you like or don't like for breakfast.

## 11. Write more characters.

| 笔画数 | | | | | | |
|---|---|---|---|---|---|---|
| | | | | | | |
| | | | | | | |
| | | | | | | |
| | | | | | | |

# ᘒᘒ 第八课  我要苹果，你呢 ᘒᘒ

1.  **Choose the correct *pinyin*.**

|  |  |  |  |
|---|---|---|---|
| guó ☐ | yǎo ☐ | chá ☐ | né ☐ |
| 果 guò ☐ | 要 yào ☐ | 茶 chā ☐ | 呢 nè ☐ |
| guǒ ☐ | yáo ☐ | chǎ ☐ | ne ☐ |

2.  **Draw lines to connect.**

    1) Draw lines to connect the Chinese characters and *pinyin*.

| 水果 | | guǒzhī |
|---|---|---|
| 茶 | | píngguǒ |
| 果汁 | | shuǐguǒ |
| 汽水 | | chá |
| 苹果 | | qìshuǐ |
| 要 | | ne |
| 呢 | | yào |

2) Draw lines to connect the pictures and Chinese words.

| shuǐguǒ | píngguǒ | chá | kāfēi | guǒzhī | qìshuǐ |
|---|---|---|---|---|---|
| 水果 | 苹果 | 茶 | 咖啡 | 果汁 | 汽水 |

3. Listen and match the words with the pictures.

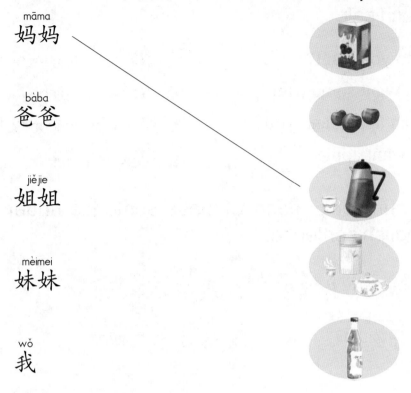

māma
妈妈

bàba
爸爸

jiějie
姐姐

mèimei
妹妹

wǒ
我

4. Write the characters.

| 笔画数 | | | | | | | |
|---|---|---|---|---|---|---|---|
| 4 | shuǐ 水 | | | | | | |
| 7 | qì 汽 | | | | | | |
| 9 | chá 茶 | | | | | | |
| 9 | yào 要 | | | | | | |

5. Match the English sentences and *pinyin* by using a different color for each pair.

❀ What do you want?

❀ Do you want some fruit?

❀ I want an apple, and you?

❀ I don't want apple.

❀ Wǒ yào píngguǒ, nǐ ne?

❀ Wǒ bú yào píngguǒ.

❀ Nǐ yào shuǐguǒ ma?

❀ Nǐ yào shénme?

6. Write the number of each Chinese sentence under the correct English sentence.

Wǒ yào píngguǒ,      nǐ   ne?
① 我要苹果，你呢？

Wǒ bú yào píngguǒ.
② 我不要苹果。

Nǐ yào shénme?
③ 你要什么？

Nǐ yào shuǐguǒ ma?
④ 你要水果吗？

What do you want?

Do you want some fruit?

I want an apple, and you?

I don't want apples.

7. Fill in the blanks with the given characters.

shuǐ
水

chá
茶

yào
要

1) Do you want some water?

Nǐ yào        ma?
你要＿＿＿吗？

2) I want some tea.

Wǒ yào
我要＿＿＿。

3) Does your sister want some soft drinks?

Nǐ mèimei    yǐnliào ma?
你妹妹＿＿＿饮料吗？

8. **Complete the dialogues.**

1) Complete the dialogues with *pinyin*.

Nǐ yào shénme?

Wǒ yào＿＿＿＿.

Nǐ hē shénme?

Wǒ hē＿＿＿＿.

Nǐ＿＿shuǐguǒ ma?

＿＿＿yào＿＿＿.

＿＿＿＿＿?

Wǒ bù hē guǒzhī,
wǒ＿＿＿＿＿.

2) Complete the dialogues with Chinese characters.

Nǐ yào shénme?
你要什么?

Wǒ ___ píngguǒ.
我___苹果。

Nǐ yào ___ ma?
你要___吗?

Wǒ
我_____。

Wǒ ___ miànbāo,
我___面包,
nǐ chī shénme?
你吃什么?

Wǒ
我_____。

9.    Choose the pictures that match the sentences.

Wǒ chī shuǐguǒ,    bù chī miànbāo.
1) 我吃水果，不吃面包。

(    )

(    )

Wǒ hē chá,    bù hē kāfēi.
2) 我喝茶，不喝咖啡。

(    )

(    )

Wǒ yào guǒzhi, bú yào qìshuǐ.
3) 我要果汁，不要汽水。

(　　)　　(　　)

10. Tell your language partner what you are going to get at the supermarket so you can try making some Chinese food at home.

11. Write more characters.

| 笔画数 | | | | | | |
|---|---|---|---|---|---|---|
| | | | | | | |
| | | | | | | |
| | | | | | | |
| | | | | | | |

# ☙ 第九课　我喜欢海鲜 ❧

**1.** **Choose the correct** *pinyin.*

海
hǎi ☐
hái ☐
hài ☐

米
mì ☐
mǐ ☐
mǐ ☐

菜
chài ☐
cài ☐
cǎi ☐

也
yé ☐
yě ☐
yè ☐

喜欢
xǐhuan ☐
shǐhuan ☐
sǐhuan ☐

**2.** **Draw lines to connect.**

1) Draw lines to connect the Chinese characters and *pinyin.*

喜欢          miàntiáor

海鲜          xǐhuan

也          hǎixiān

面条儿          niúròu

牛肉          cài

菜          yú

鱼          yě

**2) Draw lines to connect the pictures and Chinese words.**

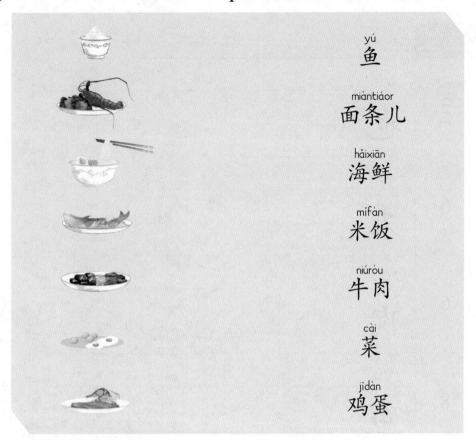

yú
鱼

miàntiáor
面条儿

hǎixiān
海鲜

mǐfàn
米饭

niúròu
牛肉

cài
菜

jīdàn
鸡蛋

**3.  Listen and choose the correct pictures.**

|  |  |  |  |  |  |
|---|---|---|---|---|---|
| dìdi<br>弟弟 |  |  |  |  |  |
| wǒ hé gēge<br>我和哥哥 |  |  |  |  |  |
| jiějie hé mèimei<br>姐姐和妹妹 |  |  |  |  |  |
| bàba hé māma<br>爸爸和妈妈 |  |  |  |  |  |

## 4. Write the characters.

| 笔画数 | | | | | | |
|---|---|---|---|---|---|---|
| 3 | yě 也 | | | | | |
| 6 | mǐ 米 | | | | | |
| 6 | ròu 肉 | | | | | |
| 8 | yú 鱼 | | | | | |

## 5. Match the English sentences and *pinyin* by using a different color for each pair.

❀ I like fish.

❀ I like beef, too.

❀ My brother likes fish, too.

❀ I don't like noodles.

❀ My sister doesn't like noodles, either.

❀ Wǒ gēge yě xǐhuan yú.

❀ Wǒ bù xǐhuan miàntiáor.

❀ Wǒ jiějie yě bù xǐhuan miàntiáor.

❀ Wǒ xǐhuan yú.

❀ Wǒ yě xǐhuan niúròu.

6. Write the number of each Chinese sentence under the correct English sentence.

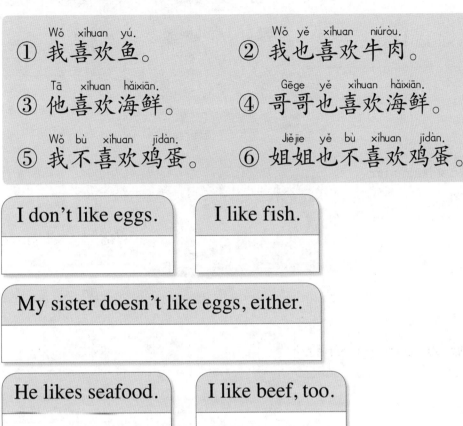

① Wǒ xǐhuan yú.
我喜欢鱼。

② Wǒ yě xǐhuan niúròu.
我也喜欢牛肉。

③ Tā xǐhuan hǎixiān.
他喜欢海鲜。

④ Gēge yě xǐhuan hǎixiān.
哥哥也喜欢海鲜。

⑤ Wǒ bù xǐhuan jīdàn.
我不喜欢鸡蛋。

⑥ Jiějie yě bù xǐhuan jīdàn.
姐姐也不喜欢鸡蛋。

| I don't like eggs. | I like fish. |
| --- | --- |

My sister doesn't like eggs, either.

| He likes seafood. | I like beef, too. |
| --- | --- |

My brother likes seafood, too.

7. Fill in the blanks with the given characters.

yě    mǐ    ròu    yú
也    米    肉    鱼

1) Do you like fish too?
Nǐ ___ xǐhuan ___ ma?
你___喜欢___吗?

2) My sister doesn't like beef.
Wǒ jiějie bù xǐhuan niú ___.
我姐姐不喜欢牛___。

3) My mother likes rice.
Wǒ māma xǐhuan ___ fàn.
我妈妈喜欢___饭。

## 8. Complete the dialogues.

### 1) Complete the dialogues with *pinyin*.

Nǐ xǐhuan hǎixiān ma?

Wǒ xǐhuan _____.

Wǒ xǐhuan niúròu, nǐ ne?

Wǒ _____ xǐhuan niúròu.

Wǒ bù xǐhuan yú, nǐ ne?

Wǒ _____ bù _____.

_____ ?

Wǒ bù xǐhuan niúnǎi.

### 2) Complete the dialogues with Chinese characters.

Nǐ xǐhuan niúnǎi ma?
你喜欢牛奶吗?

Wǒ xǐhuan ____ nǎi.
我喜欢___奶。

Nǐ zǎoshang chī mǐfàn ma?
你早上吃米饭吗？

Wǒ
我＿＿＿＿＿。

Xiǎo māo xǐhuan
小猫喜欢___，
xiǎo gǒu ne?
小狗呢？

Xiǎo gǒu xǐhuan
小狗___喜欢___。

9. **Draw pictures in the correct group for each of the following words.**

| miànbāo | jīdàn | niúnǎi | kāfēi | shuǐguǒ | píngguǒ | guǒzhī |
| 面包 | 鸡蛋 | 牛奶 | 咖啡 | 水果 | 苹果 | 果汁 |

| qìshuǐ | chá | hǎixiān | niúròu | cài | yú | mǐfàn | miàntiáor |
| 汽水 | 茶 | 海鲜 | 牛肉 | 菜 | 鱼 | 米饭 | 面条儿 |

| chī<br>吃 | hē<br>喝 |
|---|---|
|  |  |

10. Imagine your language partner is a Chinese student who will come to stay with your family for a month. Tell him about what your family usually eats.

11. Write more characters.

| 笔画数 | | | | | | |
|---|---|---|---|---|---|---|
| | | | | | | |
| | | | | | | |
| | | | | | | |
| | | | | | | |

## ✿ 第十课　中文课 ✿

1. **Choose the correct *pinyin*.**

星    xìng ☐        文    wén ☐        课    gè ☐
       xīng ☐               wěn ☐               kē ☐
       xíng ☐               wèn ☐               kè ☐

没有   méiyǒu ☐       体育   dǐyù ☐
       méiyou ☐              tǐyù ☐
       méiyǒu ☐              tǐyú ☐

2. **Draw lines to connect.**

1) Draw lines to connect the Chinese characters and *pinyin*.

中文                tǐyù

英文                Fǎwén

法文                xīngqī

体育                Zhōngwén

星期                Yīngwén

课                  méiyǒu

没有                kè

2) Draw lines to connect the Chinese and English words.

| xīngqīyī 星期一 | | not have |
| Zhōngwénkè 中文课 | | Monday |
| tǐyù 体育 | | Chinese class |
| Fǎwén 法文 | | English (language) |
| Yīngwén 英文 | | French (language) |
| méiyǒu 没有 | | P.E. |

3.  Listen and match the weekdays and classes.

| | tǐyùkè 体育课 | Yīngwénkè 英文课 | Zhōngwénkè 中文课 | Fǎwénkè 法文课 |
|---|---|---|---|---|
| Xīngqīyī 星期一 | | | | |
| Xīngqī'èr 星期二 | | | | |
| Xīngqīsì 星期四 | | | | |
| Xīngqīwǔ 星期五 | | | | |

4.  Write the characters.

| 笔画数 | | | | | | | |
|---|---|---|---|---|---|---|---|
| 4 | wén 文 | | | | | | |
| 8 | fǎ 法 | | | | | | |

| | | | | | | |
|---|---|---|---|---|---|---|
| 9 | xīng<br>星 | | | | | |
| 10 | kè<br>课 | | | | | |

5. Match the English sentences and *pinyin* by using a different color for each pair.

❀ I have a Chinese class on Monday.

❀ Do you have an English class on Tuesday?

❀ I don't have P.E. on Wednesday.

❀ I don't have classes on Saturday.

❀ Xīngqīsān wǒ méiyǒu tǐyùkè.

❀ Xīngqīyī wǒ yǒu Zhōngwénkè.

❀ Xīngqīliù wǒ méiyǒu kè.

❀ Xīngqī'èr nǐ yǒu Yīngwénkè ma?

6. Write the number of each Chinese sentence under the correct English sentence.

Xīngqīyī    nǐ  yǒu  Zhōngwénkè  ma?
① 星期一你有中文课吗?

Xīngqīyī   wǒ  yǒu  Zhōngwénkè.
② 星期一我有中文课。

Xīngqī'èr    wǒ  méiyǒu   Fǎwénkè.
③ 星期二我没有法文课。

Xīngqīliù    wǒ  méiyǒu  kè.
④ 星期六我没有课。

I don't have classes on Saturday.

I have a Chinese class on Monday.

I don't have a French class on Tuesday.

Do you have a Chinese class on Monday?

7. Fill in the blanks with the given characters.

wén 文　　fǎ 法　　xīng 星　　kè 课

1) I have a French class on Tuesday. I have an English class, too.
qī'èr　wǒ yǒu　　　kè,　yě yǒu Yīngwén
___期二我有___ ___课，也有英文___。

2) I don't have classes on Saturday.
qīliù　wǒ méiyǒu
___期六我没有___。

3) I like the Chinese class.
Wǒ xǐhuan Zhōng　kè.
我喜欢中___课。

## 8. Complete the dialogues.

### 1) Complete the dialogues with *pinyin*.

### 2) Complete the dialogues with Chinese characters.

**9.** **Draw pictures for the following sentences.**

Xīngqīyī   Xiǎohǎi yǒu   tǐyùkè.
1) 星期一小海有体育课。

Xīngqī'èr   Yīngying yǒu Zhōngwénkè.
2) 星期二英英有中文课。

Xīngqīsān   Xiǎoměi yǒu Yīngwénkè.
3) 星期三小美有英文课。

4) 星期四京京有法文课。

*Xīngqīsì Jīngjīng yǒu Fǎwénkè.*

5) 星期五Mike有中文课，也有体育课。

*Xīngqīwǔ Mike yǒu Zhōngwénkè, yě yǒu tǐyùkè.*

10. Discuss your schedule with your Chinese language partner and set up a time to study Chinese together.

11. Write more characters.

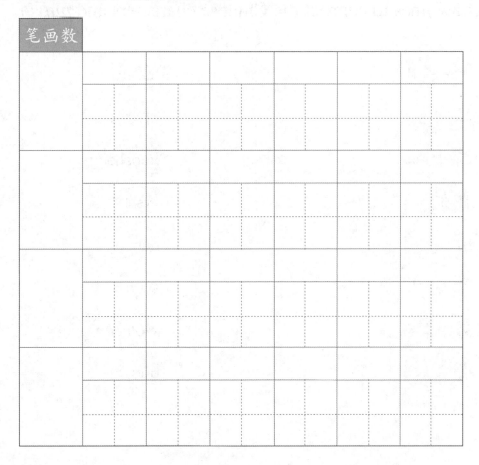

笔画数

## 1. Choose the correct *pinyin*.

学　xuě ☐　xué ☐　xuē ☐

男　náng ☐　nán ☐　lán ☐

女　nǔ ☐　nǚ ☐　lǚ ☐

班　pān ☐　bān ☐　bàn ☐

我们　wǒmén ☐　wǔmen ☐　wǒmen ☐

## 2. Draw lines to connect.

1) Draw lines to connect the Chinese characters and *pinyin*.

十一　　　　　nǚ

二十　　　　　èrshíyi

二十一　　　　xuéshēng

我们　　　　　èrshí

班　　　　　　nán

学生　　　　　shíyi

男　　　　　　wǒmen

女　　　　　　bān

2) Draw lines to connect the English and Chinese words.

|  |  |
|---------|---------|
| twenty | wǒmen 我们 |
| female | nán 男 |
| fifteen | shíyī 十一 |
| twenty-eight | shíwǔ 十五 |
| class | nǚ 女 |
| male | èrshí 二十 |
| we, us | èrshíbā 二十八 |
| eleven | bān 班 |
| student | xuéshēng 学生 |

3.  Listen and write the correct numbers.

| wǒmen bān 我们班 | nǚ xuéshēng 女学生 | nán xuéshēng 男学生 | Yīngguórén 英国人 | Fǎguórén 法国人 | Zhōngguórén 中国人 |
|---|---|---|---|---|---|
| 25 | | | | | |

4.  Write the characters.

| 笔画数 | | | | | | |
|---|---|---|---|---|---|---|
| 3 | nǚ 女 | | | | | |

| | | | | | | | | |
|---|---|---|---|---|---|---|---|---|
| 5 | shēng<br>生 | | | | | | | |
| 7 | nán<br>男 | | | | | | | |
| 8 | xué<br>学 | | | | | | | |

5. Match the English phrases and *pinyin* by using a different color for each pair.

✿ 15 female students
✿ our class
✿ 10 male students
✿ three Chinese students
✿ 25 students

✿ sān gè Zhōngguó xuéshēng
✿ èrshíwǔ gè xuéshēng
✿ shíwǔ gè nǚ xuéshēng
✿ wǒmen bān
✿ shí gè nán xuéshēng

6. Write the number of each Chinese sentence under the correct English sentence.

Wǒmen bān yǒu èrshísān gè xuéshēng.
① 我们班有二十三个学生。

Wǒmen bān yǒu shíyī gè nán xuéshēng.
② 我们班有十一个男学生。

Wǒmen bān yǒu shí'èr gè nǚ xuéshēng.
③ 我们班有十二个女学生。

Wǒmen bān yǒu sān gè Zhōngguó xuéshēng.
④ 我们班有三个中国学生。

There are three Chinese students in our class.

> There are 11 male students in our class.

> There are 23 students in our class.

> There are 12 female students in our class.

7. Fill in the blanks with the given characters.

nán 男    nǚ 女    xué 学    shēng 生    zhōng 中    guó 国    rén 人

1) There are five male students in their class.

Tāmen bān yǒu wǔ gè
他们班有五个___ ___ ___。

2) There is one Chinese student in our class.

Wǒmen bān yǒu yí gè
我们班有一个___ ___ ___ ___。

3) There are 12 female students in our class.

Wǒmen bān yǒu shí'èr gè
我们班有十二个___ ___ ___。

4) There are 21 students in the P.E. class.

Tǐyùkè yǒu èrshíyī gè
体育课有二十一个___ ___。

## 8. Complete the dialogues.

### 1) Complete the dialogues with *pinyin*.

15

Wǒmen bān yǒu shíwǔ gè xuéshēng, nǐmen bān ne?

20

Wǒmen bān yǒu èrshí gè _____.

18

Zhōngwénkè yǒu shíbā gè xuéshēng, _____ ne?

22

Fǎwénkè yǒu _____.

15

Yīngwénkè yǒu _____, _____ ne?

23

Tǐyùkè _____.

### 2) Complete the dialogues with Chinese characters.

15

Wǒmen bān yǒu shíwǔ gè
我们班有十五个
xuéshēng, nǐmen bān ne?
学生，你们班呢？

21

Wǒmen bān yǒu èrshíyī
我们班有二十一
gè
个_____。

9

Wǒmen bān yǒu jiǔ gè
我们班有九个
nǐmen bān ne?
_____，你们班呢？

7

Wǒmen bān
我们班_____
_____。

9. Choose the pictures that match the sentences.

Wǒmen bān yǒu èrshí gè xuéshēng.
1) 我们班有二十个学生。

( ) ( )

Wǒmen bān yǒu shí gè nán xuéshēng, shí gè nǚ xuéshēng.
2) 我们班有十个男学生，十个女学生。

( ) ( )

Wǒmen bān yǒu shíqī gè Yīngguórén, sān gè Zhōngguórén.
3) 我们班有十七个英国人，三个中国人。

( ) ( )

Wǒmen bān yǒu sì gè Fǎguórén, liù gè Měiguórén.
4) 我们班有四个法国人，六个美国人。

( ) ( )

10. Imagine your language partner is a new classmate from China. Tell him/her about your classes.

11. Write more characters.

笔画数

# 第十二课 我去图书馆

1. **Choose the correct _pinyin_.**

去
- chù ☐
- qù ☐
- qū ☐

书
- shù ☐
- shǔ ☐
- shū ☐

图
- tǔ ☐
- tú ☐
- tù ☐

馆
- guān ☐
- guǎn ☐
- kuǎn ☐

运动场
- wùndòngchǎng ☐
- yùntòngchǎng ☐
- yùndòngchǎng ☐

2. **Draw lines to connect.**

1) Draw lines to connect the Chinese characters and _pinyin_.

| | |
|---|---|
| 礼堂 | tǐyùguǎn |
| 运动场 | túshūguǎn |
| 去 | yùndòngchǎng |
| 图书馆 | jiàoshì |
| 体育馆 | lǐtáng |
| 教室 | qù |

2) Draw lines to connect the Chinese and English words.

|  |  |
|---------|---------|
| qù 去 | gym |
| jiàoshì 教室 | sports ground |
| yùndòngchǎng 运动场 | classroom |
| tǐyùguǎn 体育馆 | to go |
| túshūguǎn 图书馆 | assembly hall |
| lǐtáng 礼堂 | library |

3. Listen and check (√) the correct spaces.

| | jiàoshì 教室 | lǐtáng 礼堂 | yùndòngchǎng 运动场 | tǐyùguǎn 体育馆 | túshūguǎn 图书馆 |
|---|---|---|---|---|---|
| wǒ 我 | | | | | |
| Mike | | | | | |
| Mary | | | | | |
| lǎoshī 老师 | | | | | |
| Jim | | | | | |

4. Write the characters.

| 笔画数 | | | | | | |
|---|---|---|---|---|---|---|
| 4 | shū 书 | | | | | |

| | | qù | | | | | | |
|---|---|---|---|---|---|---|---|---|
| 5 | 去 | | | | | | | |
| 8 | 图 | tú | | | | | | |
| 11 | 馆 | guǎn | | | | | | |

5. Match the English sentences and *pinyin* by using a different color for each pair.

✿ Where are you going?

✿ Are you going to the sports ground?

✿ I am not going to the sports ground.

✿ I am going to the library.

✿ Wǒ bú qù yùndòngchǎng.

✿ Nǐ qù nǎr?

✿ Wǒ qù túshūguǎn.

✿ Nǐ qù yùndòngchǎng ma?

6. Write the number of each Chinese sentence under the correct English sentence.

Nǐ qù nǎr?
① 你去哪儿？

Wǒ qù túshūguǎn.
② 我去图书馆。

Nǐ qù yùndòngchǎng ma?
③ 你去运动场吗？

Wǒ bú qù yùndòngchǎng.
④ 我不去运动场。

Are you going to the sports ground?

| I am not going to the sports ground. |
| --- |
|  |

| Where are you going? | I am going to the library. |
| --- | --- |
|  |  |

7. Fill in the blanks with the given characters.

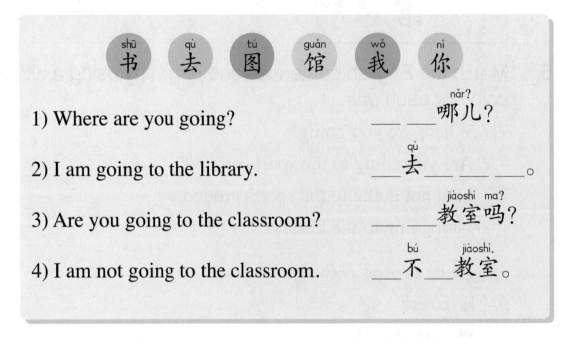

书 shū  去 qù  图 tú  馆 guǎn  我 wǒ  你 nǐ

1) Where are you going? ___ ___ 哪儿? nǎr?

2) I am going to the library. ___ 去 qù ___ ___ ___ 。

3) Are you going to the classroom? ___ ___ 教室 jiàoshi 吗? ma?

4) I am not going to the classroom. ___ 不 bú ___ 教室 jiàoshi 。

8. Complete the dialogues.

1) Complete the dialogues with *pinyin*.

Nǐ qù nǎr?

Wǒ qù _____.

Nǐ qù túshūguǎn ma?

Wǒ bú qù túshūguǎn, wǒ qù _____.

Nǐ qù _____ ma?

Wǒ _____ yùndòngchǎng, wǒ qù _____.

2) Complete the dialogues with Chinese characters.

Nǐ qù nǎr?
你去哪儿？

Wǒ qù
我去_____。

jiàoshì ma?
_____教室吗？

jiàoshì,
_____教室，
lǐtáng.
_____礼堂。

9. **Choose the pictures that match the sentences.**

Wǒ yǒu Zhōngwénkè, wǒ qù jiàoshì.
1) 我有中文课，我去教室。

( )

( )

Xiǎolóng yǒu tǐyùkè, tā qù yùndòngchǎng.
2) 小龙有体育课，他去运动场。

( ) ( )

Xiǎohǎi méiyǒu kè, tā qù túshūguǎn.
3) 小海没有课，他去图书馆。

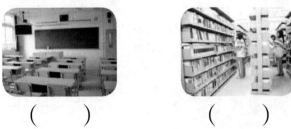

( ) ( )

4) 星期六我们不去教室，我们去礼堂。

Xīngqīliù wǒmen bú qù jiàoshì, wǒmen qù lǐtáng.

(    )                (    )

10. Imagine your language partner is a Chinese friend who has just arrived from China and is visiting your school for a few days. Describe your school campus to him/her.

11. Write more characters.

| 笔画数 | | | | | | |
|---|---|---|---|---|---|---|
| | | | | | | |
| | | | | | | |
| | | | | | | |
| | | | | | | |

## ಙ 第十三课    现在几点 ೮

1.  **Choose the correct pinyin.**

现 jiàn ☐        diǎn ☐        ér ☐
现 xiàn ☐     点 diàn ☐     几 jí ☐
   jiān ☐        diān ☐        jǐ ☐

2.  **Draw lines to connect the pinyin and Chinese characters.**

qī diǎn          十一点

shí diǎn bàn          一点半

sì diǎn bàn          四点半

yī diǎn bàn          七点

shíyī diǎn          几点

jǐ diǎn          十点半

3.  **Choose the correct pictures according to what you hear.**

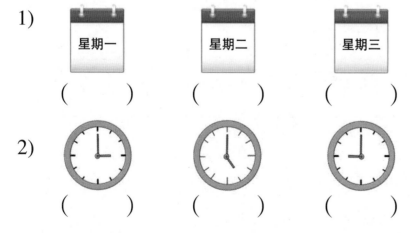

1)    星期一        星期二        星期三
      (     )        (     )        (     )

2)    (     )        (     )        (     )

3)

(　　) 　　 (　　) 　　 (　　)

4)

(　　) 　　 (　　) 　　 (　　)

5)

(　　) 　　 (　　) 　　 (　　)

4.　Write the characters.

| 笔画数 | | | | | | |
|---|---|---|---|---|---|---|
| 2 | jǐ<br>几 | | | | | |
| 5 | bàn<br>半 | | | | | |
| 8 | xiàn<br>现 | | | | | |
| 9 | diǎn<br>点 | | | | | |

5.   Write the times in Chinese.

   _____

   _____

   _____

   _____

   _____

   _____

   _____

   _____

6.   Match the English sentences and *pinyin* by using a different color for each pair.

❀ What time is it now?          ❀ Xiànzài shì yī diǎn ma?

❀ Is it one o'clock now?        ❀ Xiànzài nǐ yǒu kè ma?

❀ Do you have class now?        ❀ Xiànzài jǐ diǎn?

7. Draw the correct times on the clocks.

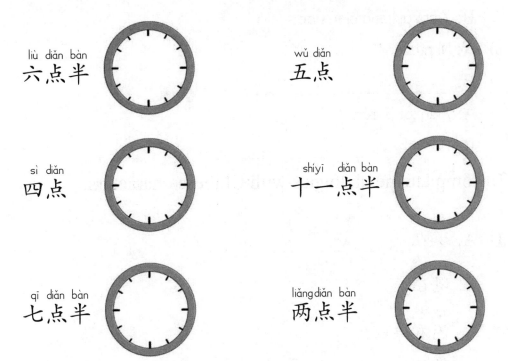

liù diǎn bàn
六点半

wǔ diǎn
五点

sì diǎn
四点

shíyī diǎn bàn
十一点半

qī diǎn bàn
七点半

liǎng diǎn bàn
两点半

8. Fill in the blanks with Chinese characters according to your own schedule.

Wǒ zǎoshang          chī fàn,      wǒ xǐhuan chī                          hē
1) 我早上_____吃饭，我喜欢吃_____、_____，喝_____。

Wǒ                    qù xuéxiào,    wǒ xǐhuan        kè.
2) 我_____去学校，我喜欢_____课。

Wǒ                    qù túshūguǎn,   wǒ xǐhuan kàn      shū.
3) 我_____去图书馆，我喜欢看_____书。

Wǒ wǎnshang                chī fàn,    wǒ xǐhuan chī
4) 我晚上_____吃饭，我喜欢吃_____。

9. Complete the dialogues.

1) Complete the dialogues with *pinyin*.

①  A: _____ jǐ diǎn?

    B: Xiànzài bā diǎn.

② A: Xiànzài _____?

B: Xiànzài liǎng diǎn bàn.

③ A: Nǐ qù nǎr?

B: _____.

④ A: Xiànzài jǐ diǎn?

B: _____.

2) Complete the dialogues with Chinese characters.

① A: 现在<sup>Xiànzài</sup>_____?

B: 现在<sup>Xiànzài</sup>_____。

② A: 你有课吗?<sup>Nǐ yǒu kè ma?</sup>

B: 我有<sup>Wǒ yǒu</sup>_____课<sup>kè.</sup>。

③ A: _____几点?<sup>jǐ diǎn?</sup>

B: _____。

10. Draw pictures of your schedule. Then try to describe it in Chinese.

11. Use Chinese to write an e-mail describing what you're going to do today and when.

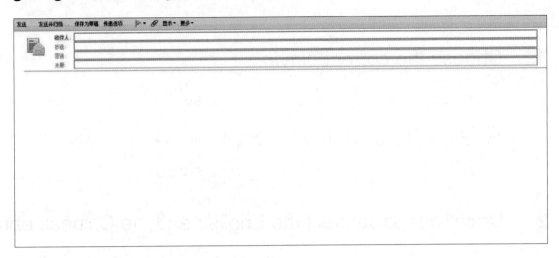

12. Write more characters.

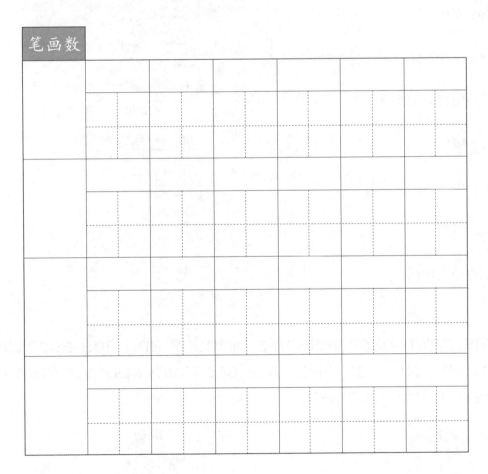

笔画数

# ᘒ 第十四课　我的生日 ᘓ

1. **Choose the correct *pinyin*.**

号 hǎo □　　日 rì □　　岁 suì □　　月 yè □
　　hào □　　　lì □　　　suí □　　　yuē □
　　hāo □　　　rù □　　　suī □　　　yuè □

2. **Draw lines to connect the English and the Chinese phrases.**

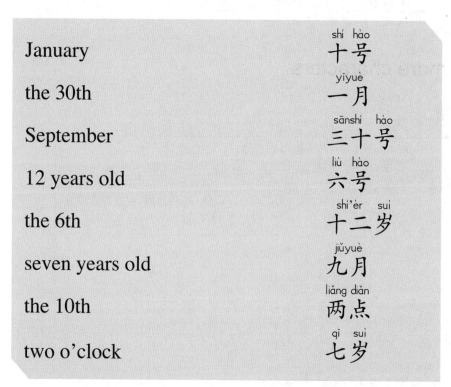

| January | shí hào 十号 |
| the 30th | yīyuè 一月 |
| September | sānshí hào 三十号 |
| 12 years old | liù hào 六号 |
| the 6th | shí'èr suì 十二岁 |
| seven years old | jiǔyuè 九月 |
| the 10th | liǎng diǎn 两点 |
| two o'clock | qī suì 七岁 |

3. **Write down each person's birthday and age according to what you hear. Then number them in order from the eldest to the youngest.**

(1)　　　　　　(　　　)　　(2)　　　　　　(　　　)

(3)  (          )          (4)  (          )

(3) _____

4.   Write down the dates on the following calendars.

一月

|   |   |   |   | 1 | 2 | 3 | 4 |
|---|---|---|---|---|---|---|---|
| 5 | 6 | 7 | 8 | 9 | 10 | 11 |
| 12 | 13 | 14 | 15 | 16 | 17 | 18 |
| 19 | 20 | 21 | 22 | **23** | 24 | 25 |
| 26 | 27 | 28 | 29 | 30 | 31 |  |

yíyuè   èrshísān   hào
一月二十三号

六月

|   |   |   |   | 1 | 2 | 3 | 4 |
|---|---|---|---|---|---|---|---|
| 5 | 6 | 7 | 8 | 9 | 10 | 11 |
| 12 | 13 | 14 | 15 | 16 | 17 | **18** |
| 19 | 20 | 21 | 22 | 23 | 24 | 25 |
| 26 | 27 | 28 | 29 | 30 |  |  |

_____

九月

|   |   |   |   | 1 | 2 | 3 | 4 |
|---|---|---|---|---|---|---|---|
| 5 | 6 | 7 | 8 | 9 | 10 | 11 |
| 12 | 13 | 14 | 15 | 16 | 17 | 18 |
| 19 | 20 | 21 | 22 | 23 | **24** | 25 |
| 26 | 27 | 28 | 29 | 30 |  |  |

十二月

|   |   |   |   | 1 | 2 | 3 | 4 |
|---|---|---|---|---|---|---|---|
| 5 | 6 | 7 | 8 | 9 | 10 | 11 |
| 12 | 13 | 14 | 15 | 16 | 17 | 18 |
| 19 | 20 | 21 | 22 | 23 | 24 | 25 |
| 26 | 27 | 28 | 29 | 30 | **31** |  |

_____

四月

|   |   |   |   | 1 | 2 | 3 | 4 |
|---|---|---|---|---|---|---|---|
| 5 | **6** | 7 | 8 | 9 | 10 | 11 |
| 12 | 13 | 14 | 15 | 16 | 17 | 18 |
| 19 | 20 | 21 | 22 | 23 | 24 | 25 |
| 26 | 27 | 28 | 29 | 30 |  |  |

七月

|   |   |   |   | 1 | 2 | 3 | 4 |
|---|---|---|---|---|---|---|---|
| **5** | 6 | 7 | 8 | 9 | 10 | 11 |
| 12 | 13 | 14 | 15 | 16 | 17 | 18 |
| 19 | 20 | 21 | 22 | 23 | 24 | 25 |
| 26 | 27 | 28 | 29 | 30 | 31 |  |

_____

_____

## 5. Write the characters.

| 笔画数 | | | | | | |
|---|---|---|---|---|---|---|
| 4 | rì<br>日 | | | | | |
| 4 | yuè<br>月 | | | | | |
| 5 | hào<br>号 | | | | | |
| 6 | suì<br>岁 | | | | | |

## 6. Match the English sentences and *pinyin* by using a different color for each pair.

❀ How old is he?

❀ What time is it now?

❀ What is the date today?

❀ Which month is your birthday?

❀ Jīntiān shì jǐ hào?

❀ Xiànzài jǐ diǎn?

❀ Tā jǐ suì?

❀ Nǐ de shēngrì shì jǐ yuè?

## 7. Write the number and *pinyin* of each Chinese words under the correct English words.

① qīyuè èr hào 七月二号

② shíliù suì 十六岁

③ wǔyuè èrshíbā hào 五月二十八号

④ yīyuè sānshíyī hào 一月三十一号

⑤ sì suì 四岁

⑥ jiǔ diǎn bàn 九点半

| four years old | 9:30 | July 2nd |
|---|---|---|
|  |  |  |

| May 28th | 16 years old | Jan. 31st |
|---|---|---|
|  |  |  |

8. Fill in the blanks with the given characters.

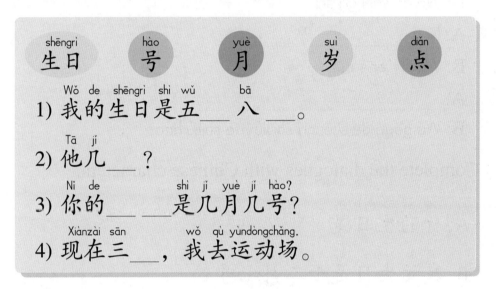

shēngri　　hào　　yuè　　suì　　diǎn
生日　　号　　月　　岁　　点

Wǒ de shēngri shì wǔ　　bā
1) 我的生日是五___八___。

Tā jǐ
2) 他几___？

Nǐ de　　shì jǐ yuè jǐ hào?
3) 你的___ ___是几月几号？

Xiànzài sān　　wǒ qù yùndòngchǎng.
4) 现在三___，我去运动场。

9. Write down the answers in Chinese according to the pictures.

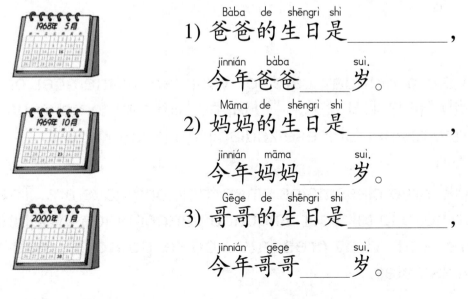

Bàba de shēngri shì
1) 爸爸的生日是_____，
jīnnián bàba　　suì.
今年爸爸_____岁。

Māma de shēngri shì
2) 妈妈的生日是_____，
jīnnián māma　　suì.
今年妈妈_____岁。

Gēge de shēngri shì
3) 哥哥的生日是_____，
jīnnián gēge　　suì.
今年哥哥_____岁。

4) 姐姐的生日是<sub>Jiějie de shēngri shi</sub>_____，

今年姐姐<sub>jīnnián jiějie</sub>\_\_\_\_\_岁<sub>suì.</sub>。

10. **Complete the dialogues.**

1) Complete the dialogues with *pinyin*.

① A: Nǐ de shēngrì shì jǐ yuè jǐ hào?

B: Wǒ de shēngrì shì _____.

② A: Nǐ _____?

B: Wǒ shí'èr suì.

③ A: _____?

B: Wǒ gēge de shēngrì shì liùyuè shíliù hào.

2) Complete the dialogues with Chinese characters.

① A: 你的生日是<sub>Nǐ de shēngri shi</sub>\_\_\_\_\_?

B: 我的生日是十二月七号。<sub>Wǒ de shēngri shi shí'èryuè qi hào.</sub>

② A: 你几岁？<sub>Nǐ jǐ suì?</sub>

B: _____。

11. Make a birthday card for your family member or friend with "祝你生日快乐！" (Happy birthday to you!) on it and draw his/her Chinese zodiac sign if you know it.

12. Ask three classmates when their birthdays are. Then use Chinese to tell your language partner when their birthdays are and what presents you're going to give those classmates.

13. Write more characters.

| 笔画数 | | | | | | |
|---|---|---|---|---|---|---|
| | | | | | | |
| | | | | | | |
| | | | | | | |
| | | | | | | |
| | | | | | | |
| | | | | | | |
| | | | | | | |
| | | | | | | |

KUAILE HANYU

# 第十五课 今天不冷

1. **Choose the correct *pinyin*.**

| | | | | | | | |
|---|---|---|---|---|---|---|---|
| | zuò ☐ | | jīn ☐ | | lǐng ☐ | | lè ☐ |
| 昨 | zuǒ ☐ | 今 | jīng ☐ | 冷 | léng ☐ | 热 | rè ☐ |
| | zuó ☐ | | jìn ☐ | | lěng ☐ | | rì ☐ |

2. **Draw lines to connect.**

| | |
|---|---|
| not cold | 今天 |
| morning | 昨天 |
| today | 早上 |
| very hot | 不冷 |
| yesterday | 很热 |

| | |
|---|---|
| 冷 | jīn |
| 日 | tiān |
| 天 | lěng |
| 现 | rè |
| 今 | rì |
| 热 | xiàn |

3. **Fill in the correct name according to what you hear.**

| | lěng 冷 | bù lěng 不冷 | rè 热 | bú rè 不热 |
|---|---|---|---|---|
| | | | | |
| | | | | |
| | | | | |
| Mary | | | | |

## 4. Write the characters.

| 笔画数 | | | | | | | |
|---|---|---|---|---|---|---|---|
| 4 | jīn<br>今 | | | | | | |
| 4 | tiān<br>天 | | | | | | |
| 7 | lěng<br>冷 | | | | | | |
| 10 | rè<br>热 | | | | | | |

## 5. Match the English sentences and *pinyin* by using a different color for each pair.

✿ It's very cold today. I'm not going to the sports ground.

✿ I'm not going to have rice today. I'm going to have noodles.

✿ I had a sports class yesterday.

✿ Today is my birthday.


✿ Jīntiān shì wǒ de shēngrì.

✿ Zuótiān wǒ yǒu tǐyùkè.

✿ Jīntiān hěn lěng, wǒ bú qù yùndòngchǎng.

✿ Jīntiān wǒ bù chī mǐfàn, wǒ chī miàntiáor.

6. Write the number and *pinyin* of each sentence under the correct English sentence.

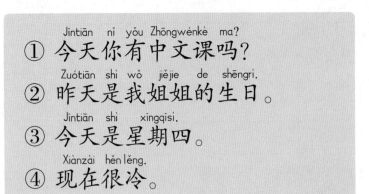

| It's very cold now. | Today is Thursday. |
| --- | --- |
| | |

| It was my sister's birthday yesterday. |
| --- |
| |

| Do you have a Chinese class today? |
| --- |
| |

7. Fill in the blanks with the given characters.

1) 昨天很冷，_____ 不冷。
   *Zuótiān hěn lěng,* *bù lěng.*

2) _____ 不冷，今天也 _____ 。
   *bù lěng,* *jīntiān yě*

3) 昨天很热，今天也 _____ 。
   *Zuótiān hěn rè,* *jīntiān yě*

4) 昨天不热，今天 _____ 。
   *Zuótiān bú rè,* *jīntiān*

## 8. Complete the dialogues.

### 1) Complete the dialogues with *pinyin*.

① A: Jīntiān hěn rè ma?

   B: _____

② A: _____

   B: Xiànzài wǒ hěn rè, wǒ yào qìshuǐ.

③ A: Jīntiān lěng ma?

   B: _____

### 2) Complete the dialogues with Chinese characters.

① A: 今天 _____ 吗？
     *Jīntiān* *ma?*

   B: 今天不热。
     *Jīntiān bú rè.*

② A: 昨天 _____ ？
     *Zuótiān*

   B: 昨天星期三。
     *Zuótiān xīngqīsān.*

③ A: 昨天 _____ 吗？
     *Zuótiān* *ma?*

   B: 有，我有中文课。
     *Yǒu,* *wǒ yǒu Zhōngwénkè.*

9. What do you do when it's very cold or very hot? Draw pictures and then try to describe them in Chinese.

| lěng<br>冷 | rè<br>热 |
|---|---|
|  |  |

10. Imagine you are at home or at a small restaurant. Tell your language partner what you'd like to eat or drink right now based on today's weather.

11. Write more characters.

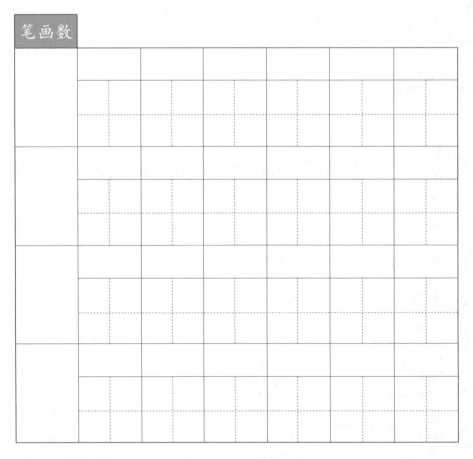

笔画数

## 第十六课　他是医生

**1.** Choose the correct *pinyin*.

医 yī ☐　　画 huā ☐　　程 chēng ☐　　商 shàng ☐

yì ☐　　huà ☐　　chěng ☐　　shāng ☐

yǐ ☐　　huá ☐　　chéng ☐　　shǎng ☐

**2.** Draw lines to connect.

商人　　　　　jiàoshī

工程师　　　　yīshēng

教师　　　　　huàjiā

医生　　　　　gōngchéngshī

画家　　　　　shāngrén

工人　　　　　gōngrén

3. Check (√) the correct spaces according to what you hear.

| | | | | | |
|---|---|---|---|---|---|
| Ann de bàba<br>Ann的爸爸 | | | | | |
| Ann de māma<br>Ann的妈妈 | | | | | |
| Mike de bàba<br>Mike的爸爸 | | | | | |
| Mike de māma<br>Mike的妈妈 | | | | | |
| Charles de bàba<br>Charles的爸爸 | | | | | |
| Charles de māma<br>Charles的妈妈 | | | | | |

4. Write the characters.

| 笔画数 | | | | | | | |
|---|---|---|---|---|---|---|---|
| 3 | gōng<br>工 | | | | | | |
| 6 | shī<br>师 | | | | | | |
| 8 | huà<br>画 | | | | | | |
| 9 | shì<br>是 | | | | | | |

5. Match the English sentences and *pinyin* by using a different color for each pair.

❀ My father is not a doctor.

❀ Is he an engineer or not?

❀ Is your sister a teacher?

❀ His brother is not an artist.


❀ Tā gēge bú shì huàjiā.

❀ Nǐ jiějie shì jiàoshī ma?

❀ Tā shì bu shì gōngchéngshī?

❀ Wǒ bàba bú shì yīshēng.


6. Write the number and *pinyin* of each Chinese sentence under the English sentence.

Tā bàba shì shāngrén ma?
① 他爸爸是商人吗？

Wǒ gēge shì gōngrén.
② 我哥哥是工人。

Nǐ chī bu chī miàntiáor?
③ 你吃不吃面条儿？

Nǐmen qù bu qù yùndòngchǎng?
④ 你们去不去运动场？


Is his father a businessman?

Are you going to the sports ground?

Do you eat noodles or not?

My brother is a worker.

7. Fill in the blanks with Chinese characters according to the pictures.

1) 妈妈 _____ 家。
     Māma              jiā.

2) 我喜欢 _____ 程 _____ 。
   Wǒ xǐhuan      chéng

3) 你 _____ 吗?
  Nǐ                ma?

4) 爸爸是一个 _____ 。
  Bàba shì yí gè

8. Complete the dialogues.

1) Complete the dialogues with *pinyin*.

① A: Nǐ shì _____ ma?
   B: Wǒ shì xuéshēng.

② A: Nǐ chī bu chī yú?
   B: Wǒ _____ yú.

③ A: _____ ?
   B: Bàba bú shì gōngrén.

④ A: Nǐ qù kàn yīshēng ma?
   B: _____ .

2) Complete the dialogues with Chinese characters.

① A: 你 ____ 米饭吗?
    Nǐ     mǐfàn ma?
   B: 我吃米饭。
    Wǒ chī mǐfàn.

② A: _____ 教师吗?
              jiàoshī ma?
   B: 我爸爸不是教师。
    Wǒ bàba bú shì jiàoshī.

③ A: _____?

　　Wǒ bú yào chá.
　B: 我不要茶。

④ A: 你去不去图书馆?
Nǐ qù bu qù túshūguǎn?

　B: _____ 。

9. Ask five classmates the questions "你的爸爸／妈妈是不是……? ". Fill in the chart according to their answers.

| | | | | | |
|---|---|---|---|---|---|
| 1) | | | | | |
| 2) | | | | | |
| 3) | | | | | |
| 4) | | | | | |
| 5) | | | | | |

10. Write more characters.

笔画数

| | | | | |
|---|---|---|---|---|
| | | | | |
| | | | | |
| | | | | |
| | | | | |

# 第十七课　他在医院工作

## 1. Choose the correct *pinyin*.

院　yuán ☐　yuàn ☐　yuǎn ☐

护　hù ☐　fú ☐　wù ☐

士　shī ☐　sì ☐　shì ☐

司　sī ☐　shi ☐　xì ☐

货　huà ☐　huò ☐　huō ☐

员　yuán ☐　yuán ☐　yán ☐

## 2. Draw lines to connect.

| | | |
|---|---|---|
| | 售货员 | hùshi |
| | 工厂 | xiàozhǎng |
| | 医院 | sījī |
| | 商店 | shòuhuòyuán |
| | 护士 | yīyuàn |
| | 校长 | shāngdiàn |
| | 司机 | gōngchǎng |

3. Check (√) the correct spaces according to what you hear.

| | | | | | | |
|---|---|---|---|---|---|---|
| bàba<br>爸爸 | | | | | | |
| māma<br>妈妈 | | | | | | |
| gēge<br>哥哥 | | | | | | |
| jiějie<br>姐姐 | | | | | | |
| dìdi<br>弟弟 | | | | | | |
| mèimei<br>妹妹 | | | | | | |

4. Write the characters.

| 笔画数 | | | | | | |
|---|---|---|---|---|---|---|
| 4 | zhǎng<br>长 | | | | | |
| 8 | diàn<br>店 | | | | | |
| 9 | yuàn<br>院 | | | | | |
| 10 | xiào<br>校 | | | | | |

5. Match the English sentences and *pinyin* by using a different color for each pair.

❀ He is a headmaster.

❀ His brother doesn't work in a factory.

❀ He is not a salesman.

❀ My sister works in a store.

❀ Tā shì xiàozhǎng.

❀ Tā bú shì shòuhuòyuán.

❀ Wǒ jiějie zài shāngdiàn gōngzuò.

❀ Tā gēge bú zài gōngchǎng gōngzuò.

6. Write the number and *pinyin* of each Chinese sentence under the correct English sentence.

Nǐ zài nǎr gōngzuò?
① 你在哪儿工作？

Tā māma shì hùshi.
② 他妈妈是护士。

Tā bú shì sījī.
③ 他不是司机。

Wǒ bàba zài yīyuàn gōngzuò.
④ 我爸爸在医院工作。

Where do you work?

My father works in a hospital.

He is not a driver.

His mother is a nurse.

7. Fill in the blanks with Chinese characters according to the pictures.

1) 我在 ＿＿＿＿＿＿＿ 工作。
Wǒ zài / gōngzuò.

2) 他爸爸是 ＿＿＿＿＿＿＿ 。
Tā bàba shì

3) 我妈妈 ＿＿＿ 医院工作，
Wǒ māma / yīyuàn gōngzuò,
她 ＿＿＿ 医生。
tā / yīshēng.

8. Complete the dialogues.

1) Complete the dialogues with *pinyin*.

① A: Nǐ gēge ＿＿＿＿＿＿ gōngzuò?

B: Tā zài túshūguǎn gōngzuò.

② A: Bàba zài nǎr?

B: Tā zài chúfáng hē ＿＿＿＿＿ .

③ A: ＿＿＿＿＿＿＿＿＿ ?

B: Māma zài jiā chī mǐfàn.

④ A: ＿＿＿＿＿＿＿＿＿ ?

B: Tā zài shāngdiàn gōngzuò, tā shì shòuhuòyuán.

2) Complete the dialogues with Chinese characters.

① A：你姐姐是护士吗?
Nǐ jiějie shì hùshi ma?

B：她 ＿＿＿ 护士，她 ＿＿＿ 医院工作。
Tā / hùshi, tā / yīyuàn gōngzuò.

② A：
Jīntiān nǐ zài nǎr hē chá?
今天你在哪儿喝茶？

B：
Wǒ zài hē chá.
我在＿＿＿＿喝茶。

③ A：
Nǐ māma zài nǎr gōngzuò?
你妈妈在哪儿工作？

B：＿＿＿＿＿＿＿＿＿＿＿＿＿＿。

9. Look at the pictures. Then tell your language partner who those people are and where they probably work.

10. Write more characters.

| 笔画数 | | | | | |
|---|---|---|---|---|---|
| | | | | | |
| | | | | | |
| | | | | | |
| | | | | | |
| | | | | | |

# 第十八课　我想做演员

**1.** **Choose the correct** *pinyin*.

您 nǐ ☐　　　演 yán ☐　　　想 xiǎng ☐
nín ☐　　　　　yàn ☐　　　　　xiàng ☐
ní ☐　　　　　yǎn ☐　　　　　xiāng ☐

做 cuò ☐　　　吧 bà ☐　　　员 yuán ☐
zuò ☐　　　　　ba ☐　　　　　yuǎn ☐
zòu ☐　　　　　ma ☐　　　　　yuàn ☐

**2.** **Draw lines to connect.**

1)

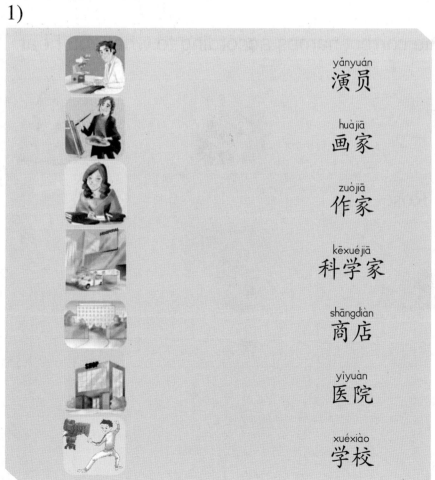

yǎnyuán
演员

huàjiā
画家

zuòjiā
作家

kēxuéjiā
科学家

shāngdiàn
商店

yīyuàn
医院

xuéxiào
学校

2)

司机                  hùshi

护士                  yǎnyuán

工作                  zuòjiā

作家                  sījī

演员                  gōngzuò

售货员             shòuhuòyuán

科学家             kēxuéjiā

3.    Fill in the correct names according to what you hear.

| | | |
|---|---|---|
| | | |
| Rose | | |
| | | |
| | | |

4. Write the characters.

| 笔画数 | | ba | | | | | |
|---|---|---|---|---|---|---|---|
| 7 | 吧 | | | | | | |
| 11 | 您 | nín | | | | | |
| 11 | 做 | zuò | | | | | |
| 13 | 想 | xiǎng | | | | | |

5. Match the English sentences and *pinyin* by using a different color for each pair.

❀ Are you a teacher?

❀ I want to be a scientist.

❀ Do you want to be an actor?

❀ He doesn't want to be a businessman.

❀ Nín shì lǎoshī ba?

❀ Wǒ xiǎng zuò kēxuéjiā.

❀ Tā bù xiǎng zuò shāngrén.

❀ Nǐ xiǎng zuò yǎnyuán ma?

6. Write the number and *pinyin* of each Chinese sentence under the correct English sentence.

Nǐ xiǎng zuò yīshēng ma?
① 你想做医生吗？

Nín shì kēxuéjiā ba?
② 您是科学家吧？

Tā xiǎng zuò gōngchéngshī.
③ 他想做工程师。

Wǒ bù xiǎng zuò huàjiā.
④ 我不想做画家。

He wants to be an engineer.

I don't want to be an artist.

Do you want to be a doctor?

Are you a scientist?

7. Fill in the blanks with Chinese characters according to the pictures.

Wǒ          zuò gōngrén.
1) 我 _____ 做工人。

Wǒ bù xiǎng          hùshi.
2) 我不想 _____ 护士。

Nín          yīshēng
3) 您 _____ 医生 _____ ？

Nín shì yǎnyuán
4) 您是演员 _____ ？

8.  Complete the dialogues.

1) Complete the dialogues with *pinyin*.

①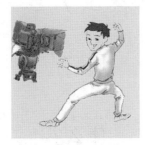

A：Wǒ bàba shì yǎnyuán.

B：Wǒ bàba yě shì _____.

②

A：Nǐ xiǎng zuò shénme?

B：Wǒ xiǎng zuò _____.

③

A：Nǐ shì zuòjiā ba?

B：Shì, _____.

④

A：_____ ?

B：Wǒ bú shì xiàozhǎng.

2) Complete the dialogues with Chinese characters.

①

A：你想 _____ 教师吗？
<small>Nǐ xiǎng　　　　　jiàoshī ma?</small>

B：我很 _____ 教师。
<small>Wǒ hěn　　　　　jiàoshī.</small>

②

A: 你妈妈 ___ 工程师 ___ ?
Nǐ māma      gōngchéngshī

B: 是，她在工厂工作。
Shì, tā zài gōngchǎng gōngzuò.

③

A: _____ 什么？
shénme?

B: _____ 科学家。
kēxuéjiā.

9. What kind of person do you want to become? Draw a picture of your future self. Then try to describe it in Chinese.

10. Ask five classmates the question "你想做⋯⋯吗？"
Which jobs do your classmates like or dislike the most?

| | 1) | 2) | 3) | 4) | 5) |
|---|---|---|---|---|---|
| yīshēng<br>医生 | | | | | |
| huàjiā<br>画家 | | | | | |
| jiàoshī<br>教师 | | | | | |
| shāngrén<br>商人 | | | | | |
| gōngrén<br>工人 | | | | | |
| hùshi<br>护士 | | | | | |
| sījī<br>司机 | | | | | |
| yǎnyuán<br>演员 | | | | | |
| zuòjiā<br>作家 | | | | | |
| shòuhuòyuán<br>售货员 | | | | | |
| gōngchéngshī<br>工程师 | | | | | |
| kēxuéjiā<br>科学家 | | | | | |

## 11. Write more characters.

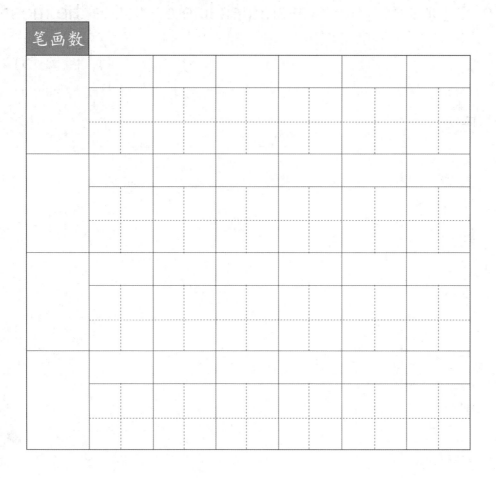

| 笔画数 | | | | | |
|---|---|---|---|---|---|
| | | | | | |
| | | | | | |
| | | | | | |
| | | | | | |

## 第十九课　你的爱好是什么

1. **Choose the correct** *pinyin*.

爱好　àihǎo ☐　àihào ☐

音乐　yīngyuè ☐　yīnyuè ☐

电脑　diànnǎo ☐　tiànnǎo ☐

游戏　yóujì ☐　yóuxì ☐

他的　tā de ☐　dā de ☐

运动　yùndòng ☐　yùdòng ☐

上网　shàngwǎng ☐　shàngwàng ☐

我们的　wǒmen de ☐　wǒmen dé ☐

2. **Draw lines to connect.**

1)

| | |
|---|---|
| sports, athletics | ours  àihǎo 爱好 |
| music | his |
| to be online | hobby, interest  tā de 他的 |
| computer | game  wǒmen de 我们的 |

yóuxì 游戏

2)

| | |
|---|---|
| 爱好 | diànnǎo |
| 音乐 | yóuxì |
| 电脑 | àihào |
| 游戏 | yùndòng |
| 上网 | yīnyuè |
| 运动 | wǒmen de |
| 他的 | shàngwǎng |
| 我们的 | tā de |

3. **Choose the words that you hear.**

1) ○ A. xǐhuan yóuxì
喜欢游戏 ○ B. diànnǎo yóuxì
电脑游戏 ○ C. xǐhuan yùndòng
喜欢运动

2) ○ A. wǒ de àihào
我的爱好 ○ B. tā de diànnǎo
他的电脑 ○ C. àihào yīnyuè
爱好音乐

3) ○ A. Àihào shì shéme?
爱好是什么? ○ B. Àihào shì yīnyuè.
爱好是音乐。

○ C. Àihào shì shàngwǎng.
爱好是上网。

4) ○ A. Tā xǐhuan yīnyuè ma?
他喜欢音乐吗? ○ B. Nǐ xǐhuan yóuxì ma?
你喜欢游戏吗?

○ C. Tā xǐhuan yùndòng ma?
他喜欢运动吗?

## 4. Write the characters.

| 笔画数 | | | | | | |
|---|---|---|---|---|---|---|
| | me | | | | | |
| 3 | 么 | | | | | |
| | shén | | | | | |
| 4 | 什 | | | | | |
| | yuè | | | | | |
| 5 | 乐 | | | | | |
| | yīn | | | | | |
| 9 | 音 | | | | | |

## 5. Match the English phrases and *pinyin* by using a different color for each pair.

❀ his computer          ❀ wǒmen de àihào

❀ our hobby            ❀ xǐhuan yùndòng

❀ like music           ❀ tā de diànnǎo

❀ like sports          ❀ xǐhuan yīnyuè

## 6. Write the number and *pinyin* of each Chinese sentence under the correct English sentence.

Nǐ de àihào shì shénme?
① 你的爱好是什么？

Tā de àihào shì diànnǎo yóuxì.
② 他的爱好是电脑游戏。

Tāmen xǐhuan yùndòng.
③ 他们喜欢运动。

Tā yě xǐhuan shàngwǎng.
④ 他也喜欢上网。

Wǒmen de àihào yě shì yīnyuè.
⑤ 我们的爱好也是音乐。

He also likes surfing on the Internet.

Our hobby is music too.

What's your hobby?

His hobby is computer games.

They like sports.

7. Fill in the blanks with the given characters.

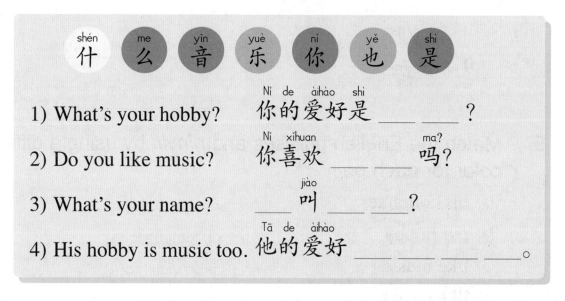

| shén | me | yīn | yuè | nǐ | yě | shì |
| 什 | 么 | 音 | 乐 | 你 | 也 | 是 |

1) What's your hobby?

Nǐ de àihào shì
你的爱好是 ____ ____ ?

2) Do you like music?

Nǐ xǐhuan          ma?
你喜欢 ____ ____ 吗?

3) What's your name?

          jiào
____ 叫 ____ ____ ?

4) His hobby is music too.

Tā de àihào
他的爱好 ____ ____ ____ ____。

8. Complete the dialogues.

1) Complete the dialogues with *pinyin*.

①

A: Nǐ de àihào shì shénme?

B: Wǒ de àihào shì _____.

② A： Tā xǐhuan shénme?

B： Tā xǐhuan _____.

③ A： Nǐ gēge xǐhuan diànnǎo yóuxì ma?

B： Tā bù _____.

A： Tā de àihào shì shénme?

B： Tā de _____.

2) Complete the dialogues with Chinese characters.

① 
Nǐ de àihào shì yīnyuè ma?
A： 你的爱好是音乐吗?

Wǒ de àihào
B： 我的爱好 _____。

② 
Xiǎohǎi de àihào
A： 小海的爱好 _____?

Xiǎohǎi de àihào yùndòng.
B： 小海的爱好 _____ 运动。

Míngming xǐhuan yùndòng ma?
A： 明明喜欢运动吗?

Míngming xǐhuan yùndòng.
B： 明明 _____ 喜欢运动。

③ 
Nǐ xǐhuan shénme?
A： 你喜欢什么?

xǐhuan
B： _____ 喜欢 _____。

④

A: Zhè shì nǐ de diànnǎo ma?
这是你的电脑吗？

B: Zhè bú shì wǒ de diànnǎo, _____ de diànnǎo.
这不是我的电脑，_____ 的电脑。

⑤

A: Tā jǐ suì?
他几岁？

B: Tā shí
他十 _____。

A: Tā de àihào
他的爱好 _____？

B: Tā de àihào shì shàngwǎng.
他的爱好是上网。

9. **Choose the pictures that match the sentences.**

1) Tā de àihào shì yīnyuè.
他的爱好是音乐。

（　）    （　）

2) Mary bù xǐhuan yùndòng, Mary de àihào shì shàngwǎng.
Mary不喜欢运动，Mary的爱好是上网。

（　）    （　）

3) 
Wǒmen de àihào shì yùndòng.
我们的爱好是运动。

(　　)

(　　)

10. Read this short passage and answer the following questions in Chinese.

Wǒ jiào Annie,　wǒ shì Měiguórén,　nà shì wǒ dìdi　tā jiào
我叫Annie，我是美国人，那是我弟弟，他叫

Harrison.　Wǒmen shì xuéshēng.　Wǒ de àihào shì yīnyuè,　wǒ yě xǐhuan
Harrison。我们是学生。我的爱好是音乐，我也喜欢

yùndòng.　Dìdi de àihào bú shì yīnyuè,　yě bú shì yùndòng,　tā xǐhuan
运动。弟弟的爱好不是音乐，也不是运动，他喜欢

diànnǎo yóuxì,　tā de àihào shì shàngwǎng.
电脑游戏，他的爱好是上网。

1) What is Annie's nationality?

2) What is her hobby?

3) What is her brother's name?

4) Does her brother have the same hobbies as Annie?

5) What does her brother like?

## 11. Write more characters.

| 笔画数 | | | | | | |
|---|---|---|---|---|---|---|
| | | | | | | |
| | | | | | | |
| | | | | | | |
| | | | | | | |

# 第二十课 你会打网球吗

## 1. Choose the correct *pinyin*.

会 huì ☐  huí ☐  kuì ☐

网球 wángqiū ☐  wángqiú ☐  wǎngqiú ☐

打 dà ☐  dǎ ☐  tǎ ☐

篮球 lánqiǔ ☐  nánqiú ☐  lánqiú ☐

游泳 yóuyǒng ☐  yǒuyòng ☐  yóuyòng ☐

运动员 yùndòngyán ☐  yūndòngyuán ☐  yùndòngyuán ☐

## 2. Draw lines to connect.

1)

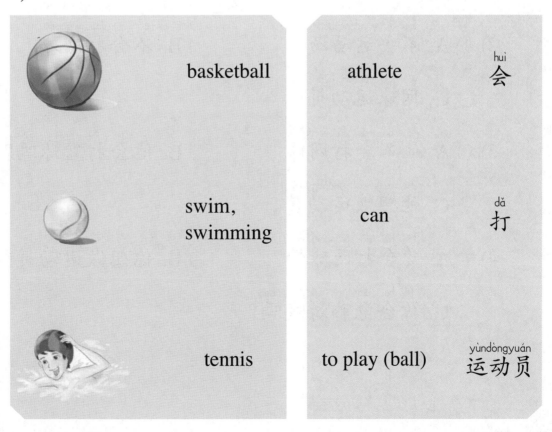

basketball

swim, swimming

tennis

athlete 会 (huì)

can 打 (dǎ)

to play (ball) 运动员 (yùndòngyuán)

2)

会                      yóuyǒng

打                      lánqiú

篮球                   yùndòngyuán

网球                   dǎ

游泳                   huì

运动员              wǎngqiú

## 3. Choose the words that you hear.

1) ○ A. 会打网球 (huì dǎ wǎngqiú)    ○ B. 会打篮球 (huì dǎ lánqiú)    ○ C. 不会游泳 (bú huì yóuyǒng)

2) ○ A. 不去运动场 (bú qù yùndòngchǎng)          ○ B. 不会打网球 (bú huì dǎ wǎngqiú)

    ○ C. 网球运动员 (wǎngqiú yùndòngyuán)

3) ○ A. 他不会打网球。(Tā bú huì dǎ wǎngqiú.)          ○ B. 他会打篮球吗？(Tā huì dǎ lánqiú ma?)

    ○ C. 他想做运动员。(Tā xiǎng zuò yùndòngyuán.)

4) ○ A. 你会打网球吗？(Nǐ huì dǎ wǎngqiú ma?)          ○ B. 你想做运动员吗？(Nǐ xiǎng zuò yùndòngyuán ma?)

    ○ C. 你会电脑游戏吗？(Nǐ huì diànnǎo yóuxì ma?)

4. Write the characters.

| 笔画数 | | | | | | |
|---|---|---|---|---|---|---|
| | dǎ | | | | | |
| 5 | 打 | | | | | |
| | huì | | | | | |
| 6 | 会 | | | | | |
| | wǎng | | | | | |
| 6 | 网 | | | | | |
| | qiú | | | | | |
| 11 | 球 | | | | | |

5. Match the English phrases and *pinyin* by using a different color for each pair.

❀ basketball player          ❀ dǎ lánqiú

❀ don't know how to swim     ❀ lánqiú yùndòngyuán

❀ know how to play tennis    ❀ bú huì yóuyǒng

❀ play basketball            ❀ huì dǎ wǎngqiú

6. Write the number and *pinyin* of each Chinese sentence under the correct English sentence.

Nǐ huì yóuyǒng ma?
① 你会游泳吗?

Tā bú huì dǎ wǎngqiú.
② 他不会打网球。

Wǒmen huì dǎ lánqiú.
③ 我们会打篮球。　④ 我们的爱好是篮球。
Wǒmen de àihào shì lánqiú.
Tā shì yóuyǒng yùndòngyuán ma?
⑤ 他是游泳运动员吗？

Is he a swimmer?

We know how to play basketball.

He doesn't know how to play tennis.

Can you swim?

Our hobby is playing basketball.

7.　Fill in the blanks with the given characters.

dǎ　wǎng　qiú　huì　shàng　yě
打　网　球　会　上　也

Nǐ　yóuyǒng ma?
1) Can you swim?　你 ___ 游泳吗？

Tāmen　lánqiú.
2) They play basketball.　他们 ___ 篮球。

Tā xǐhuan
3) He likes tennis.　他喜欢 ___ ___ 。

4) I don't know how to get online.

Wǒ bú huì
我不会 ___ ___ 。

5) I can play tennis. I can play basketball too.

Wǒ
我 ___ ___ ___ ___ ， ___ ___ ___ ___ 篮球。
lánqiú.

## 8. Complete the dialogues.

1) Complete the dialogues with *pinyin*.

①

A：Tā huì yóuyǒng ma?

B：Tā bú huì _____ .

②

A：Nǐ gēge huì dǎ wǎngqiú ma?

B：Tā _____ .

③

A：Tā shì yùndòngyuán ma?

B：Tā _____ .

A：Nǐ xiǎng zuò yùndòngyuán ma?

B： _____ .

2) Complete the dialogues with Chinese characters.

① 

Tā huì dǎ lánqiú ma?
A：他会打篮球吗？

Tā              lánqiú.
B：他 _____ 篮球。

② 

Harrison huì dǎ wǎngqiú ma?
A：Harrison 会打网球吗？

Tā
B：他 _____ 。

③ 

Tā        lánqiú ma?
A：他 _____ 篮球吗？

Tā        lánqiú.
B：他 _____ 篮球。

Tā shì lánqiú yùndòngyuán ma?
A：他是篮球运动员吗？

Tā       lánqiú yùndòngyuán.
B：他 ____ 篮球运动员。

④ 

Nǐ bàba huì yóuyǒng ma?
A：你爸爸会游泳吗？

huì yóuyǒng.
B：_____ 会游泳。

Nǐ ne?
A：你呢？

Wǒ          yóuyǒng.
B：我 _____ 游泳。

⑤ 

Nǐ de àihào
A：你的爱好 _____ ？

Wǒ de àihào
B：我的爱好 _____ 。

9. Choose the pictures that match the sentences.

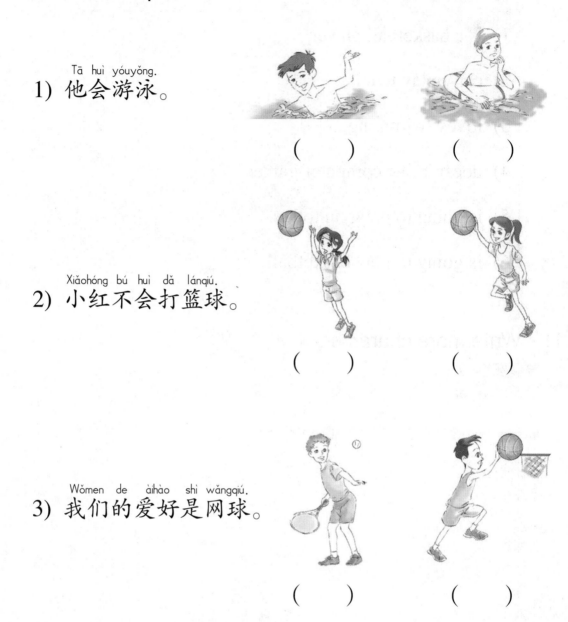

Tā huì yóuyǒng.
1) 他会游泳。

( ) ( )

Xiǎohóng bú huì dǎ lánqiú.
2) 小红不会打篮球。

( ) ( )

Wǒmen de àihào shì wǎngqiú.
3) 我们的爱好是网球。

( ) ( )

10. Read the following passage. Then check (√) the sentences that are true.

Wǒ gēge jiào Bart, tā shì lánqiú yùndòngyuán. Tā yě huì dǎ wǎngqiú,
我哥哥叫Bart，他是篮球运动员。他也会打网球，

huì yóuyǒng. Tā bù xǐhuan shàngwǎng, yě bù xǐhuan diànnǎo yóuxì. Tā jīntiān
会游泳。他不喜欢上网，也不喜欢电脑游戏。他今天

qù tǐyùguǎn, tā qù yóuyǒng, wǒ yě qù.
去体育馆，他去游泳，我也去。

My brother Bart ...

| | |
|---|---|
| 1) is a basketball player. | ☐ |
| 2) can't play tennis. | ☐ |
| 3) loves swimming. | ☐ |
| 4) doesn't like computer games. | ☐ |
| 5) is going to the gym today. | ☐ |
| 6) is going to play basketball. | ☐ |

## 11. Write more characters.

笔画数

# ∞ 第二十一课 我天天看电视 ∞

1. **Choose the correct *pinyin*.**

看
- gàn ☐
- kàn ☐
- kǎn ☐

电视
- diànshì ☐
- diànsì ☐
- diànshí ☐

电影
- diànyǐng ☐
- diànyǐn ☐
- diànyǐng ☐

天天
- diāndiān ☐
- tiántián ☐
- tiāntiān ☐

好看
- hǎokàn ☐
- hāokàn ☐
- hǎogàn ☐

节目
- qiémù ☐
- jiémù ☐
- jiénù ☐

2. **Draw lines to connect.**

1)

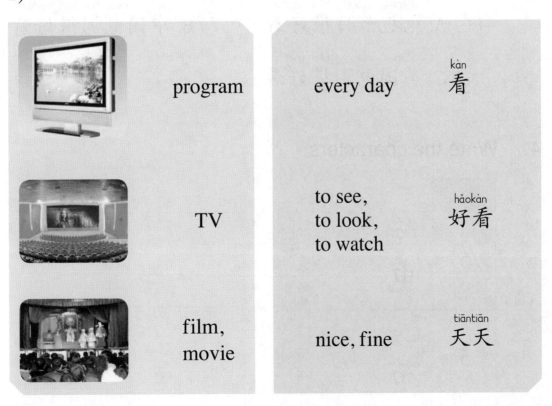

| | |
|---|---|
| program | every day    kàn 看 |
| TV | to see, to look, to watch    hǎokàn 好看 |
| film, movie | nice, fine    tiāntiān 天天 |

2)

| 看 | hǎokàn |
| 电视 | tiāntiān |
| 电影 | diànshì |
| 好看 | kàn |
| 天天 | diànyǐng |
| 节目 | jiémù |

3. **Choose the words that you hear.**

1) ○ A. 电视节目 (diànshì jiémù)　○ B. 想看电视 (xiǎng kàn diànshì)　○ C. 想看电影 (xiǎng kàn diànyǐng)

2) ○ A. 天天看电影 (tiāntiān kàn diànyǐng)　○ B. 天天打篮球 (tiāntiān dǎ lánqiú)　○ C. 天天看电视 (tiāntiān kàn diànshì)

3) ○ A. 喜欢看电视 (xǐhuan kàn diànshì)　○ B. 天天看电影 (tiāntiān kàn diànyǐng)　○ C. 不想看电影 (bù xiǎng kàn diànyǐng)

4) ○ A. 电视节目很好看。(Diànshì jiémù hěn hǎokàn.)　○ B. 中国电影很好看。(Zhōngguó diànyǐng hěn hǎokàn.)

○ C. 美国电影很好看。(Měiguó diànyǐng hěn hǎokàn.)

4. **Write the characters.**

| 笔画数 | | | | | |
|---|---|---|---|---|---|
| 5 | diàn 电 | | | | |
| 5 | jié 节 | | | | |

| | | | | | | | |
|---|---|---|---|---|---|---|---|
| 5 | mù<br>目 | | | | | | |
| 9 | kàn<br>看 | | | | | | |

**5.** Match the English phrases and *pinyin* by using a different color for each pair.

❀ today's TV program

❀ watch TV every day

❀ like watching movies

❀ the movie is very interesting

❀ xǐhuan kàn diànyǐng

❀ diànyǐng hěn hǎokàn

❀ jīntiān de diànshì jiémù

❀ tiāntiān kàn diànshì

**6.** Write the number and *pinyin* of each Chinese sentence under the correct English sentence.

Zhège diànyǐng hěn hǎokàn.
① 这个电影很好看。

Zuótiān de diànshì jiémù bù hǎokàn.
② 昨天的电视节目不好看。

Wǒmen tiāntiān kàn diànshì.
③ 我们天天看电视。

Nǐ xiǎng kàn diànyǐng ma?
④ 你想看电影吗？

Nàge diànyǐng hǎokàn ma?
⑤ 那个电影好看吗？

Yesterday's TV program was not interesting.

Is that movie interesting?

Do you want to watch a movie?

| This movie is very interesting. | We watch TV every day. |
|---|---|
|  |  |

7. Fill in the blanks with the given characters.

diàn 电　　kàn 看　　jié 节　　mù 目　　hǎo 好　　zhè 这　　gè 个　　hěn 很

1) I don't watch TV.
　　　　　　Wǒ bú　　diànshì.
　　　　　　我不＿＿电视。

2) He likes movies.
　　　　　　Tā xǐhuan　　yǐng.
　　　　　　他喜欢＿＿影。

3) Yesterday's TV program is very interesting.
Zuótiān de diànshì
昨天的电视 ＿＿ ＿＿ ＿＿ ＿＿ ＿＿ 。

4) This movie is very interesting.
　　　　　　diànyǐng
＿＿ ＿＿ 电影 ＿＿ ＿＿ ＿＿ 。

5) This program is very interesting.

＿＿ ＿＿ ＿＿ ＿＿ ＿＿ ＿＿ ＿＿ 。

8. Complete the dialogues.

1) Complete the dialogues with *pinyin*.

①

A：Tā xǐhuan kàn diànshì ma?
B：Tā xǐhuan ＿＿＿＿＿＿.

②

A： Tāmen tiāntiān kàn diànyǐng ma?

B： Tāmen _____ .

③

A： Wǒmen xiǎng kàn diànyǐng, nǐ xiǎng kàn ma?

B： Wǒ _____ .

## 2) Complete the dialogues with Chinese characters.

①

Tā de àihào shì shénme?
A: 他的爱好是什么？

Tā de àihào shì    diànyǐng.
B: 他的爱好是___电影。

②

Zuótiān de diànshì jiémù hǎokàn ma?
A: 昨天的电视节目好看吗？

Zuótiān de diànshì
B: 昨天的电视_____。

③

Nǐ xǐhuan kàn diànyǐng ma?
A: 你喜欢看电影吗？

Wǒ xǐhuan    diànyǐng.
B: 我喜欢___电影。

Zhège diànyǐng
A: 这个电影_____？

Zhège diànyǐng hěn hǎokàn.
B: 这个电影很好看。

④

Nǐ jīntiān kàn diànshì ma?
A: 你今天看电视吗？

diànshì,    wǒ kàn diànyǐng.
B: _____电视，我看电影。

⑤

A: Jīntiān de diànshì jiémù hǎokàn ma?
今天的电视节目好看吗?

B: Jīntiān de diànshì jiémù
今天的电视节目 _____ 。

A: Nǐ tiāntiān kàn diànshì ma?
你天天看电视吗?

B: Wǒ
我 _____ 。

9.  **Choose the pictures that match the sentences.**

1) Bàba、 māma kàn diànshi, wǒ yě kàn diànshi.
爸爸、妈妈看电视，我也看电视。

(　　) 　　　　　(　　)

2) Nàge diànyǐng bù hǎokàn.
那个电影不好看。

(　　) 　　　　　(　　)

3) Jīntiān de diànshì jiémù hěn hǎokàn.
今天的电视节目很好看。

(　　) 　　　　　(　　)

10. Answer the following questions in Chinese. Then ask your language partner the same questions.

1) Do you like watching TV?

2) Do you watch TV every day?

3) Did you watch a TV program yesterday? How was it?

4) Do you like Chinese movies? Why or why not?

5) Do you want to watch a movie today?

11. Write more characters.

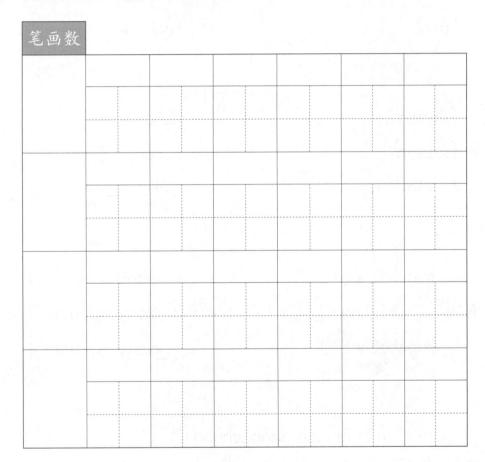

笔画数

# 第八单元　交通和旅游

## 🙢 第二十二课　这是火车站 🙠

1. **Choose the correct *pinyin*.**

火车　huòchē □
huǒchē □
hǔchē □

飞机　fēijǐ □
fēiqí □
fēijí □

饭店　fāntiān □
fāndiàn □
fàndiàn □

机场　jīzhǎng □
jīchǎng □
qíchǎng □

火车站　huòchēzhàn □
huǒchēzhàn □
huǒchēchàn □

电影院　diànyǐnyuàn □
diànyǐngyuàn □
diànyǐngyuán □

天安门广场　Tiān'ānmén Guǎngchǎng □
Tiān'ānmén Guǎngzhǎng □
Tiān'ānmén Guǎngshǎng □

## 2.　Draw lines to connect.

1)

2)

| | |
|---|---|
| 机场 | fēijī |
| 火车站 | fàndiàn |
| 飞机 | huǒchē |
| 天安门广场 | diànyǐngyuàn |
| 饭店 | huǒchēzhàn |
| 火车 | jīchǎng |
| 电影院 | Tiān'ānmén Guǎngchǎng |

**3.** **Choose the words that you hear.**

1) ○ A. huǒchē 火车　　○ B. fēijī 飞机　　○ C. fàndiàn 饭店

2) ○ A. qù jīchǎng 去机场　　○ B. zài huǒchēzhàn 在火车站　　○ C. zài diànyǐngyuàn 在电影院

3) ○ A. Zhè shì tǐyùguǎn. 这是体育馆。　　○ B. Zhè shì diànyǐngyuàn. 这是电影院。

○ C. Zhè shì túshūguǎn. 这是图书馆。

4) ○ A. Nǐ zài Shànghǎi Jīchǎng ma? 你在上海机场吗？　　○ B. Nǐ zài xuéxiào de yùndòngchǎng ma? 你在学校的运动场吗？

○ C. Nǐ zài Tiān'ānmén Guǎngchǎng ma? 你在天安门广场吗？

**4.** **Write the characters.**

| 笔画数 | | | | | | |
|---|---|---|---|---|---|---|
| 3 | fēi 飞 | | | | | |
| 4 | huǒ 火 | | | | | |
| 4 | chē 车 | | | | | |
| 6 | jī 机 | | | | | |

5. Match the English phrases and *pinyin* by using a different color for each pair.

❀ at the airport                    ❀ zài jīchǎng

❀ in a cinema                       ❀ zài huǒchēzhàn

❀ at the railway station            ❀ zài fàndiàn

❀ in a hotel                        ❀ zài diànyǐngyuàn

6. Write the number and *pinyin* of each Chinese sentence under the correct English sentence.

Nǐ zài nǎr?
① 你在哪儿？

Zhè shì huǒchēzhàn.
② 这是火车站。

Tā zài jīchǎng.
③ 他在机场。

Wǒ qù diànyǐngyuàn.
④ 我去电影院。

Nà shì Tiān'ānmén Guǎngchǎng ma?
⑤ 那是天安门广场吗？

| I go to the cinema. | Where are you? | He is at the airport. |
| --- | --- | --- |
| | | |

| This is a railway station. | Is that Tian'anmen Square? |
| --- | --- |
| | |

7. Fill in the blanks with the given characters.

| chē | qù | huǒ | diàn | fēi | zài | gōng |
| --- | --- | --- | --- | --- | --- | --- |
| 车 | 去 | 火 | 店 | 飞 | 在 | 工 |

1) This is a plane.

Zhè shì     jī.
这是___机。

2) That is a train.

Nà shì
那是____ ____。

3) He is in the hotel.　他___饭_____。
　Tā　　fàn

4) He works in a shop.　他___商_____ ___作。
　Tā　　shāng　　zuò.

5) I want to go to the railway station.

我要___ ___ ___站。
Wǒ yào　　　　zhàn.

8. Complete the dialogues.

1) Complete the dialogues with *pinyin*.

①

A：Nǐ zài nǎr?
B：Wǒ zài _____.

②

A：Zhè shì diànyǐngyuàn ma?
B：Zhè _____ diànyǐngyuàn,
　　zhè shì _____.

③

Nǐ zài nǎr?

Wǒ _____, nǐ ne?

_____.

2) Complete the dialogues with Chinese characters.

①

A: Nǐ zài nǎr?
你在哪儿？

B: Wǒ _____ huǒchēzhàn.
我_____火车站。

②

A: Wǒ zài Shànghǎi, nǐ zài nǎr?
我在上海，你在哪儿？

B: Wǒ
我_____。

③

A: Nǐ zài nǎr?
你在哪儿？

B: Wǒ zài _____ chǎng.
我在_____场。

A: Nǐ _____ nǎr?
你____哪儿？

B: _____ Měiguó.
_____美国。

④

A: Nà shì diànyǐngyuàn ma?
那是电影院吗？

B: _____ diànyǐngyuàn.
_____电影院。

A: Xiǎolóng zài diànyǐngyuàn ma?
小龙在电影院吗？

B: Xiǎolóng _____ diànyǐngyuàn.
小龙_____电影院。

KUAILE HANYU

⑤

Zhè shì Tiān'ānmén Guǎngchǎng ma?
A: 这是天安门广场吗？

Tiān'ānmén Guǎngchǎng.
B: ＿＿＿天安门广场。

Tiān'ānmén Guǎngchǎng dà ma?
A: 天安门广场大吗？

Tiān'ānmén Guǎngchǎng
B: 天安门广场＿＿＿。

9. Choose the pictures that match the sentences.

Tā zài huǒchēzhàn, tā qù Běijīng.
1) 他在火车站，他去北京。

（　　） 

（　　）

Wǒ jīntiān qù Tiān'ānmén Guǎngchǎng.
2) 我今天去天安门广场。

（　　）

（　　）

Xiàozhǎng zài fàndiàn, nǐ zài nǎr?
3) 校长在饭店，你在哪儿？

（　　）

（　　）

10. Match the following activities with where they usually take place.

| | | | |
|---|---|---|---|
| A. | watching TV | 1) jiā<br>家 | A |
| B. | watching movies | 2) jīchǎng<br>机场 | |
| C. | playing tennis | 3) fàndiàn<br>饭店 | |
| D. | staying overnight in another city | 4) yùndòngchǎng<br>运动场 | |
| E. | flying to another country | 5) diànyǐngyuàn<br>电影院 | |
| F. | going to a nearby city | 6) huǒchēzhàn<br>火车站 | |

11. Write more characters.

| 笔画数 | | | | |
|---|---|---|---|---|
| | | | | |
| | | | | |
| | | | | |
| | | | | |

# 🙰 第二十三课　我坐飞机去 🙰

1. **Choose the correct *pinyin*.**

坐 cuò ☐　怎么 zhěnme ☐　汽车 qìzhē ☐
shuò ☐　　　shěnme ☐　　　xìchē ☐
zuò ☐　　　zěnme ☐　　　qìchē ☐

汽车站 jīchēzhàn ☐　开车 gāichē ☐　加拿大 Qiānádà ☐
qìchēzhàn ☐　　　kāichē ☐　　　Xiānádà ☐
huǒchēchàn ☐　　　kāicē ☐　　　Jiānádà ☐

澳大利亚 Àodàlìyá ☐　广州 Guāngzhōu ☐
Àodàlìyǎ ☐　　　Guǎngzhōu ☐
Àodàlìyà ☐　　　Guǎnzhōu ☐

2. **Draw lines to connect.**

1)

Jiānádà
加拿大

qìchēzhàn
汽车站

Guǎngzhōu
广州

Àodàlìyá
澳大利亚

bus　　zěnme 怎么

to drive　　zuò 坐

how　　kāichē 开车

to sit　　qìchē 汽车

146
**KUAILE HANYU**

2)

| | |
|---|---|
| 怎么 | zuò |
| 坐 | qìchē |
| 汽车 | kāichē |
| 汽车站 | Jiānádà |
| 开车 | Guǎngzhōu |
| 加拿大 | qìchēzhàn |
| 澳大利亚 | Àodàlìyà |
| 广州 | zěnme |

**3. Choose the words that you hear.**

1) ○ A. 汽车 qìchē      ○ B. 开车 kāichē      ○ C. 火车 huǒchē

2) ○ A. 坐火车去 zuò huǒchē qù      ○ B. 坐飞机去 zuò fēijī qù      ○ C. 去汽车站 qù qìchēzhàn

3) ○ A. 怎么去广州？ Zěnme qù Guǎngzhōu?      ○ B. 开车去广州。 Kāichē qù Guǎngzhōu.

○ C. 不想去广州。 Bù xiǎng qù Guǎngzhōu.

4) ○ A. 坐火车去加拿大。 Zuò huǒchē qù Jiānádà.      ○ B. 坐飞机去澳大利亚。 Zuò fēijī qù Àodàlìyà.

○ C. 开车去天安门广场。 Kāichē qù Tiān'ānmén Guǎngchǎng.

4. Write the characters.

| 笔画数 | | | | | | |
|---|---|---|---|---|---|---|
| 3 | guǎng 广 | | | | | |
| 4 | kāi 开 | | | | | |
| 7 | zuò 坐 | | | | | |
| 9 | zěn 怎 | | | | | |

5. Match the English phrases and *pinyin* by using a different color for each pair.

✿ by train

✿ go by bus

✿ go to Australia

✿ drive to Canada

✿ qù Àodàlìyà

✿ zuò qìchē qù

✿ kāichē qù Jiānádà

✿ zuò huǒchē

6. Write the number and *pinyin* of each Chinese sentence under the correct English sentence.

Nǐmen zěnme qù Jiānádà?
① 你们怎么去加拿大？

Tā zuò qìchē qù Shànghǎi.
② 他坐汽车去上海。

Nǐ xiǎng zěnme qù?
③ 你想怎么去？

Wǒmen kāichē qù Guǎngzhōu.
④ 我们开车去广州。

Nǐ zuò fēijī qù ma?
⑤ 你坐飞机去吗？

| He goes to Shanghai by bus. |
| --- |
|   |

| We drive to Guangzhou. |
| --- |
|   |

| Do you go by plane? |
| --- |
|   |

| How do you go to Canada? |
| --- |
|   |

| How do you go? |
| --- |
|   |

7. Fill in the blanks with the given characters.

| zuò 坐 | kāi 开 | zěn 怎 | guǎng 广 | fēi 飞 | huǒ 火 |
| --- | --- | --- | --- | --- | --- |
| chē 车 | jī 机 | nǐ 你 | zài 在 | me 么 | qù 去 |

1) How do you go to China?

Nǐ _____ _____ qù Zhōngguó?
你____ ____去中国？

2) They go by train.

Tāmen _____ _____ _____ qù.
他们____ ____ ____去。

3) Are you in Guangzhou?

Nǐ _____ _____ zhōu ma?
你____ ____州吗？

4) Can he drive?

Tā huì _____ _____ ma?
他会____ ____吗？

5) How will you go to Guangzhou? I'll go by plane.

_____ _____ _____ _____ _____ zhōu? Wǒ _____ _____ _____ _____。
____ ____ ____ ____ ____州？我____ ____ ____ ____。

## 8. Complete the dialogues.

1) Complete the dialogues with *pinyin*.

①

A： Nǐ zěnme qù Àodàlìyà?

B： Wǒ zuò _____.

②

A： Tā zěnme qù Guǎngzhōu?

B： Tā _____.

③

A： Tāmen zuò huǒchē qù Shànghǎi ma?

B： Tāmen _____huǒchē qù.

Tāmen _____.

2) Complete the dialogues with Chinese characters.

①

A: 你怎么去澳大利亚？
<small>Nǐ zěnme qù Àodàlìyà?</small>

B: 我坐__ __去。
<small>Wǒ zuò qù.</small>

②

A: 你__ __去北京？
<small>Nǐ qù Běijīng?</small>

B: 我__汽车去。
<small>Wǒ qìchē qù.</small>

③

Ní qù nǎr?
A: 你去哪儿?

Jiānádà.
B: ___ ___加拿大。

Ní qù?
A: 你___ ___去?

B: ___ ___ ___ ___ ___。

④

Ní qù diànyǐngyuàn ma?
A: 你去电影院吗?

diànyǐngyuàn.
B: ___ ___电影院。

Ní qù?
A: 你___ ___去?

Wǒ
B: 我 ___ ___ ___。

⑤

Bàba jīntiān qù nǎr?
A: 爸爸今天去哪儿?

Bàba jīntiān qù Guǎngzhōu.
B: 爸爸今天去广州。

Tā
A: 他___ ___ ___?

B: ___ ___ ___ ___ ___。

9. **Choose the pictures that match the sentences.**

Tāmen zuò fēijī qù Shànghǎi.
1) 他们坐飞机去上海。

(    )             (    )

Jiějie xiǎng kāichē qù Jiānádà.

2) 姐姐想开车去加拿大。

 (　　)

 (　　)

Wǒ jīntiān zuò qìchē qù Guǎngzhōu.

3) 我今天坐汽车去广州。

 (　　)

 (　　)

Tāmen zài qìchēzhàn.

4) 他们在汽车站。

 (　　)

 (　　)

10. Look at a map and choose two cities in your own country and two other countries that you'd like to visit. Then tell your language partner about how you would travel to these destinations.

## 11. Write more characters.

| 笔画数 | | | | | | |
|---|---|---|---|---|---|---|
| | | | | | | |
| | | | | | | |
| | | | | | | |

# ❧ 第二十四课　汽车站在前边 ❧

1. **Choose the correct** *pinyin*.

|  |  |  |
|---|---|---|
| wǎn ☐ | zhǒu ☐ | qǐngwèn ☐ |
| 往 wáng ☐ | 走 zǒu ☐ | 请问 qíngwèn ☐ |
| wǎng ☐ | zuǒ ☐ | jǐngwèn ☐ |

|  |  |  |
|---|---|---|
| fángbiān ☐ | xiánbian ☐ | hòupian ☐ |
| 旁边 fāngbiàn ☐ | 前边 jiǎnbian ☐ | 后边 hòubian ☐ |
| pángbiān ☐ | qiánbian ☐ | hǒubian ☐ |

|  |  |
|---|---|
| zuǒban ☐ | yòuban ☐ |
| 左边 zuǒbian ☐ | 右边 yóubian ☐ |
| zuòbian ☐ | yòubian ☐ |

2. **Draw lines to connect.**

1)

| right | pángbiān<br>旁边 |
|---|---|
| left | qiánbian<br>前边 |
| front | hòubian<br>后边 |
| back | zuǒbian<br>左边 |
| side | yòubian<br>右边 |

2)

| 请问 | | qiánbian |
| 旁边 | | yòubian |
| 前边 | | qǐngwèn |
| 后边 | | zǒu |
| 左边 | | wǎng |
| 右边 | | hòubian |
| 往 | | pángbiān |
| 走 | | zuǒbian |

## 3. Choose the words that you hear.

1) ○ A. 前边 qiánbian　○ B. 后边 hòubian　○ C. 旁边 pángbiān

2) ○ A. 在左边 zài zuǒbian　○ B. 在右边 zài yòubian　○ C. 在后边 zài hòubian

3) ○ A. 往右走 wǎng yòu zǒu　○ B. 往后走 wǎng hòu zǒu　○ C. 往前走 wǎng qián zǒu

4) ○ A. 请问，汽车站在哪儿？ Qǐngwèn, qìchēzhàn zài nǎr?

○ B. 请问，怎么去火车站？ Qǐngwèn, zěnme qù huǒchēzhàn?

○ C. 请问，饭店在前边吗？ Qǐngwèn, fàndiàn zài qiánbian ma?

4. Write the characters.

| 笔画数 | | | | | | |
|---|---|---|---|---|---|---|
| 5 | zuǒ 左 | | | | | |
| 5 | yòu 右 | | | | | |
| 6 | hòu 后 | | | | | |
| 9 | qián 前 | | | | | |

5. Match the English phrases and *pinyin* by using a different color for each pair.

❀ on the left                        ❀ wǎng yòu zǒu

❀ at the back                       ❀ wǎng qián zǒu

❀ go to the right                   ❀ zài zuǒbian

❀ go forward                        ❀ zài hòubian

6. Write the number and *pinyin* of each Chinese sentence under the correct English sentence.

Qìchēzhàn zài nǎr?
① 汽车站在哪儿？

Huǒchēzhàn zài qiánbian.
② 火车站在前边。

Qǐngwèn, xuéxiào zài nǎr?
③ 请问，学校在哪儿？

Diànyǐngyuàn zài yòubian.
④ 电影院在右边。

Wǎng qián zǒu, fàndiàn zài zuǒbian.
⑤ 往前走，饭店在左边。

| Go straight. The hotel is on the left. |
| --- |
|  |

| The cinema is on the right. | Excuse me. Where is the school? |
| --- | --- |
|  |  |

| Where is the bus stop? | The railway station is up ahead. |
| --- | --- |
|  |  |

7. Fill in the blanks with the given characters according to the picture.

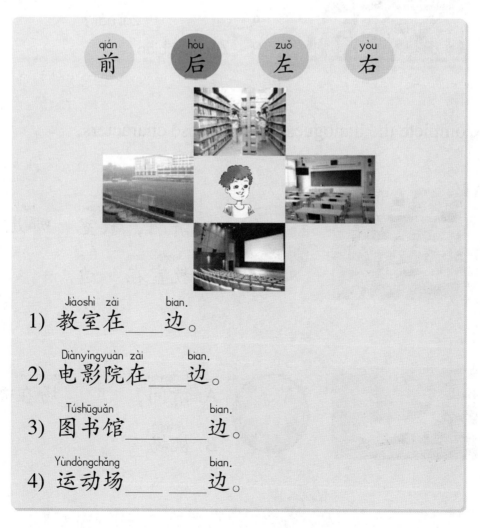

qián 前    hòu 后    zuǒ 左    yòu 右

Jiàoshì zài ____ bian.
1) 教室在____边。

Diànyǐngyuàn zài ____ bian.
2) 电影院在____边。

Túshūguǎn ____ bian.
3) 图书馆____ ____边。

Yùndòngchǎng ____ bian.
4) 运动场____ ____边。

## 8.  Complete the dialogues.

### 1) Complete the dialogues with *pinyin*.

①

A：Qǐngwèn, _____ zài nǎr?

B：Zài yòubian.

②

A：Qǐngwèn, huǒchēzhàn
zài qiánbian ma?

B：Zài qiánbian, wǎng _____.

③

A：Zhè shì nǐ jiějie de fángjiān ma?

B：Zhè shì wǒ jiějie de _____.

A：_____ zài nǎr?

B：Zài pángbiān.

### 2) Complete the dialogues with Chinese characters.

①

Qǐngwèn,　　jiàoshì　　　nǎr?
A: 请问，教室___哪儿?

Jiàoshì zài　　bian.
B: 教室在__边。

②

Qǐngwèn,　　　chǎng zài　　nǎr?
A: 请问，_____场在哪儿?

Jīchǎng
B: 机场_____。

③

A: Tiān'ānmén Guǎngchǎng zài ___ bian ma?
天安门广场在___边吗?

B: _____ bian.
_____边。

A: Nǐ zěnme qù?
你怎么去?

B: Wǒ
我_____。

④

A: Qǐngwèn, yùndòngchǎng ___ nǎr?
请问, 运动场___哪儿?

B: Yùndòngchǎng _____ bian.
运动场_____边。

A: Wǎng qián zǒu ma?
往 前 走 吗?

B: Wǎng _____ zǒu.
往_____走。

⑤

A: Qǐngwèn, jiàoshì zài nǎr?
请问，教室在哪儿?

B: Jiàoshì _____ bian.
教室_____边。

A: _____ ne?
_____呢?

B: Túshūguǎn _____ bian.
图书馆_____边。

9.  Choose the pictures that match the sentences.

1) Qìchēzhàn zài qiánbian.
汽车站在前边。

(    )    (    )

Túshūguǎn  zài  yòubian,  wǎng yòu zǒu.
2) 图书馆在右边，往右走。

(　　)　(　　)

10. Design a virtual city with houses, schools, bus stations, railway stations, airport(s), cinemas, hotels, gyms, etc. Show it to your language partner and describe it, giving directions from one place to another.

11. Write more characters.

| 笔画数 | | | | |
|---|---|---|---|---|
| | | | | |
| | | | | |
| | | | | |
| | | | | |
| | | | | |
| | | | | |
| | | | | |

**附录：**
## 1. 录音文本*

**第一课**
1）我 2）很好 3）你好吗？

**第二课**
1）美国 2）叫什么 3）你是哪国人？

**第三课**
1）他家 2）在哪儿 3）我家在北京。

**第四课**
1）爸爸 2）不是 3）那是我姐姐。

**第五课**
1）三 2）六 3）两只小猫 4）我有三只小狗。

**第六课**
1）房间 2）大房子 3）四个厨房 4）他家房子不大。

**第七课**
　　早上，妈妈、爸爸喝咖啡。姐姐、哥哥喝牛奶。妈妈吃面包。弟弟吃鸡蛋。

**第八课**
　　妈妈要咖啡。爸爸喝茶。姐姐要果汁。妹妹喝汽水。我要苹果。

---

\* 本文本的录音文件附在学生用书录音文件后。

## 第九课

　　我和哥哥喜欢牛肉。姐姐和妹妹喜欢海鲜。弟弟喜欢鸡蛋。爸爸和妈妈喜欢鱼，也喜欢面包。

## 第十课

　　我星期一有中文课。星期二有英文课。星期四有法文课。星期五有体育课。

## 第十一课

　　我们班有25个学生，12个女学生，13个男学生。15个英国人，7个法国人，3个中国人。

## 第十二课

　　今天，我去运动场，Mike去图书馆，Mary去体育馆，老师去礼堂，Jim去教室。

## 第十三课

1）今天是星期一。　2）我九点有中文课。　3）我十二点吃饭。
4）十五点去图书馆。　5）十六点半去体育馆。

## 第十四课

　　Bill爸爸的生日是1973年6月，他妈妈的生日是1971年9月。我爸爸的生日是1970年11月，我妈妈的生日是1975年7月。

## 第十五课

　　今天冷，Mary喝热茶。今天不冷，Peter去运动场。今天热，Lily吃水果。今天不热，Mike去体育馆。

## 第十六课

　　Ann的爸爸是工程师，妈妈是教师。Mike的爸爸是医生，妈妈是画家。Charles的爸爸是商人，妈妈是医生。

## 第十七课

1）爸爸在医院工作，他是医生。　　2）妈妈在学校工作，她是教师。

3）哥哥在工厂工作，他是工程师。　4）姐姐在医院工作，她是护士。

5）弟弟在商店工作，他是司机。　　6）妹妹在商店工作，她是售货员。

## 第十八课

　　Rose想做演员。Brandon想做科学家。Cindy想做护士。Alan想做作家。Elisa想做画家。Max想做商人。

## 第十九课

1）电脑游戏　2）我的爱好　3）爱好是什么？　4）你喜欢游戏吗？

## 第二十课

1）会打篮球　2）不会打网球　3）他会打篮球吗？　4）你想做运动员吗？

## 第二十一课

1）电视节目　2）天天看电影　3）不想看电视　4）美国电影很好看。

## 第二十二课

1）饭店　2）去机场　3）这是电影院。　4）你在天安门广场吗？

## 第二十三课

1）开车　2）去汽车站　3）怎么去广州？　4）坐飞机去澳大利亚。

## 第二十四课

1）旁边　2）在右边　3）往前走　4）请问，汽车站在哪儿？

# 2.部分参考答案

## 第一课　你好

1. 你（nǐ）　好（hǎo）　我（wǒ）　很（hěn）

7. ③②①

8. 1)你<sup>nǐ</sup>　2)好<sup>hǎo</sup>　3)很<sup>hěn</sup>

## 第二课　你叫什么

1. 叫（jiào）　国（guó）　是（shì）　哪（nǎ）　人（rén）

什么（shénme）　美国（Měiguó）　英国（Yīngguó）　中国（Zhōngguó）

7. ③②①④

8. 1)人<sup>rén</sup>　2)国<sup>guó</sup>　3)中<sup>Zhōng</sup>

## 第三课　你家在哪儿

1. 家（jiā）　在（zài）　他（tā）　哪儿（nǎr）　北京（Běijīng）

上海（Shànghǎi）　香港（Xiānggǎng）

7. ③①④②

8. 1)在<sup>zài</sup>　2)北京<sup>Běijīng</sup>　3)我<sup>Wǒ</sup>　4)我<sup>Wǒ</sup> 中国人<sup>Zhōngguórén</sup>

## 第四课　爸爸、妈妈

1. 这（zhè）　那（nà）　不（bù）　哥哥（gēge）　姐姐（jiějie）

爸爸（bàba）　妈妈（māma）

7. ④②①③

8. 1)这<sup>Zhè</sup>　2)那<sup>Nà</sup>　3)妈妈<sup>màma</sup>　4)爸爸<sup>bàba</sup>　5)这<sup>Zhè</sup> 爸爸<sup>bàba</sup> 中国人<sup>Zhōngguórén</sup> 在北京<sup>zài Běijīng</sup>

## 第五课　我有一只小猫

1. 有（yǒu）　猫（māo）　狗（gǒu）　只（zhī）　小（xiǎo）　两（liǎng）

一（yī）　二（èr）　三（sān）　四（sì）　五（wǔ）　六（liù）

7. ④①②③

8. 1) 只 (zhī)  2) 小 (xiǎo)  3) 一 (yì)  4) 六 (liù)  5) 一只 (yì zhī)  六只 (liù zhī)  小 (xiǎo)

## 第六课　我家不大

1. 大（dà）　个（gè）　七（qī）　八（bā）　九（jiǔ）　十（shí）

房子（fángzi）　房间（fángjiān）　厨房（chúfáng）

7. ③①④②

8. 1) 子 (zi)  2) 个 (gè)  3) 大 (dà)  4) 有 (yǒu)  5) 这个 (Zhège)  子 (zi)  有 (yǒu)  六个 (liù gè)

## 第七课　喝牛奶，不喝咖啡

1. 吃（chī）　奶（nǎi）　喝（hē）　面包（miànbāo）　早上（zǎoshang）

6. ③⑤⑥①④②

7. 1) 早上 (Zǎoshang)  2) 吃 (chī)  3) 牛 (niú)

## 第八课　我要苹果，你呢

1. 果（guǒ）　要（yào）　茶（chá）　呢（ne）

6. ③④①②

7. 1) 水 (zhuǐ)  2) 茶 (chá)  3) 要 (yào)

## 第九课　我喜欢海鲜

1. 海（hǎi）　米（mǐ）　菜（cài）　也（yě）　喜欢（xǐhuan）

6. ⑤①⑥③②④

7. 1) 也 (yě)  鱼 (yú)  2) 肉 (ròu)  3) 米 (mǐ)

## 第十课　中文课

1. 星（xīng）　文（wén）　课（kè）　没有（méiyǒu）　体育（tǐyù）

6. ④②③①

7. 1) 星 (Xīng)  法文 (Fǎwén)  课 (kè)  2) 星 (Xīng)  课 (kè)  3) 文 (wén)

## 第十一课　我们班

1. 学（xué）　男（nán）　女（nǔ）　班（bān）　我们（wǒmen）

6. ④②①③

<sub>nán xuéshēng　Zhōngguó xuéshēng　nǚ xuéshēng　xuéshēng</sub>
7. 1)男学生　2)中国学生　3)女学生　4)学生


## 第十二课　我去图书馆

1. 去（qù）　书（shū）　图（tú）　馆（guǎn）　运动场（yùndòngchǎng）

6. ③④①②

<sub>Nǐ qù　Wǒ　túshūguǎn　Nǐ qù　Wǒ　qù</sub>
7. 1)你去　2)我　图书馆　3)你去　4)我　去


## 第十三课　现在几点

1. 现（xiàn）　点（diǎn）　几（jǐ）

5. 三点　九点　八点　十二点　十点半　七点半　六点　两点半


## 第十四课　我的生日

1. 号（hào）　日（rì）　岁（suì）　月（yuè）

4. 六月十八号　九月二十四号　十二月三十一号　四月六号　七月五号

7. ⑤⑥①③②④

<sub>yuè　hào　suì　shēngrì　diǎn</sub>
8. 1)月　号　2)岁　3)生日　4)点


## 第十五课　今天不冷

1. 昨（zuó）　今（jīn）　冷（lěng）　热（rè）

6. ④③②①

<sub>jīn tiān　zuótiān　bù lěng　hěn rè　bú rè</sub>
7. 1)今天　2)昨天　不冷　3)很热　4)不热


## 第十六课　他是医生

1. 医（yī）　画（huà）　程（chéng）　商（shāng）

6. ①④③②


## 第十七课　他在医院工作

1. 院（yuàn）　护（hù）　士（shì）　司（sī）　货（huò）　员（yuán）

6. ①④③②

**第十八课　我想做演员**

1. 您（nín）　演（yǎn）　想（xiǎng）　做（zuò）　吧（ba）　员（yuán）

6. ③④①②

**第十九课　你的爱好是什么**

1. 爱好（àihào）　音乐（yīnyuè）　电脑（diànnǎo）　游戏（yóuxì）

他的（tā de）　运动（yùndòng）　上网（shàngwǎng）

我们的（wǒmen de）

6. ④⑤①②③

7. 1)什么 shénme　2)音乐 yīnyuè　3)你 Nǐ　什么 shénme　4)也是音乐 yě shì yīnyuè

**第二十课　你会打网球吗**

1. 会（huì）　网球（wǎngqiú）　打（dǎ）　篮球（lánqiú）　游泳（yóuyǒng）

运动员（yùndòngyuán）

6. ⑤③②①④

7. 1)会 huì　2)打 dǎ　3)网球 wǎngqiú　4)上网 shàngwǎng　5)会打网球 huì dǎ wǎngqiú　我也会打 wǒ yě huì dǎ

**第二十一课　我天天看电影**

1. 看（kàn）　电视（diànshì）　电影（diànyǐng）　天天（tiāntiān）

好看（hǎokàn）　节目（jiémù）

6. ②⑤④①③

7. 1)看 kàn　2)电 diàn　3)节目很好看 jiémù hěn hǎokàn　4)这个 Zhège　很好看 hěn hǎokàn　5)这个节目很好看 Zhège jiémù hěn hǎokàn

**第二十二课　这是火车站**

1. 火车（huǒchē）　飞机（fēijī）　饭店（fàndiàn）　机场（jīchǎng）

火车站（huǒchēzhàn）　电影院（diànyǐngyuàn）

天安门广场（Tiān'ānmén Guǎngchǎng）

6. ④①③②⑤

7. 1)飞 fēi　2)火车 huǒchē　3)在 店 zài diàn　4)在 店 工 zài diàn gōng　5)去火车 qù huǒchē

**第二十三课　我坐飞机去**

1. 坐（zuò）　怎么（zěnme）　汽车（qìchē）　汽车站（qìchēzhàn）

　开车（kāichē）　加拿大（Jiānádà）　澳大利亚（Àodàlìyà）

　广州（Guǎngzhōu）

6. ②④⑤①③

7. 1)怎么 zěnme　2)坐火车 zuò huǒchē　3)去 广 qù Guǎng　4)开车 kāichē　5)你怎么去广　坐飞机去 Nǐ zěnme qù Guǎng zuò fēijī qù

**第二十四课　汽车站在前边**

1. 往（wǎng）　走（zǒu）　请问（qǐngwèn）　旁边（pángbiān）

　前边（qiánbian）　后边（hòubian）　左边（zuǒbian）　右边（yòubian）

6. ⑤④③①②

7. 1)左 zuǒ　2)前 qián　3)在后 zài hòu　4)在右 zài yòu